PRONTI ... VIA!

THE ITALIAN HANDBOOK

for travellers to Italy..
for GCSE candidates...
for adults needing an intensive course...

LEONARDO ORIOLO

LONDON 1990

British Library cataloguing Publication Data
Oriolo, Leonardo 1953 -
Pronti ... Via! The Italian Handbook
1. Italian language
I. Title
450

ISBN 1- 872793 - 01 - 0

Links Publications
Centre Two Ossian Mews
London N4 4DX
UK

Cover design by **Giovanni Stefanini**
Illustrations by **Leonardo Guasco**

Printed in Great Britain by Maitype

CONTENTS

INTRODUCTORY NOTE

The main purpose of Pronti...Via! The Italian Handbook is to provide essential practice material in an accessible form to develop the learner's ability to use Italian effectively for the purpose of practical communication.

In this handbook it is recognised that teaching material needs to be differentiated according to range of purpose and attainment levels. Consequently it provides a core of activities which is relevant for:

a) school students in classes based on nationally accepted programmes of study, assessment targets and public examinations;

b) pupils of school age attending classes supported by the Italian Embassy;

c) adult learners in evening classes or following intensive short courses for pleasure or as part of their vocational training; (material in this book has already been used very successfully in intensive courses for companies such as Fiat U.K., Alitalia, etc.);

d) independent learners who do not follow an institutional course but still need some guidance both for themselves and their tutors;

e) tourists visiting Italy who need some kind of vade-mecum which offers much more than the standard phrase book.

The coursebook can be used to promote student activity in the whole class, in individual practice, and in pairs and as a means of summarising, revising and supplementing other course books.

Some tables in the book include linguistic structures which vary in the level of complexity and range of vocabulary used. This allows the student to achieve the same aims of communication in different ways according to level of attainment. It also reinforces topics studied previously.

English translation of text, where given, is intended to be used principally by independent learners and travellers to Italy. In the classroom students should, from the very first lesson, be encouraged to use Italian and to understand simple instructions .

On page 181 we suggest some basic methods for ensuring that Italian becomes the normal means of communication during lessons. (For a guide to grammatical structures and Italian/English vocabulary lists for topics covered in this handbook, see "A New Style Italian Grammar" in the Pronti...Via! series.)

In general, each of the 14 units in the book provides:

a) A list of language tasks at basic and *higher-levels, presented according to the topics and settings in which they may occur. (The Northern Examining Association Syllabus has been adopted as a frame of reference). Each learning task is provided with a check-list, boxes appearing on the left (L) for learning and on the right (R) for revision.

b) Substitution tables (with English translation), referring to the list of language tasks, covering most of the vocabulary, structures, notions and functions to be used productively and/or receptively. These substitution tables generally follow the pattern of a conversation presenting questions on the left-hand side 'A' and answers on the right-hand side 'B'.

c) Guided conversation in formal and informal registers.

d) Practical guides for written work.

e) Authentic material (providing a context for the functions and notions covered) including a collection of relevant signs and notices.

f) Language games (to practice frequently used words).

This book has been published in response to the urgent need expressed by very many of my colleagues. I would be grateful for any comments and suggestions which can help us to improve the contents in future editions.

ACKNOWLEDGEMENTS

TV Sorrisi e Canzoni, page 8 (centre top), Secondamano page 31 (above left and below); Editore SIAG Genova, p. 33 and 36; La Stampa, p.37 and 44; La Repubblica, p. 35 t (top); Il Secolo XIX, p.45 (below); Grazia, p.31 (top right); Corriere della Sera, p. 61.
Ministero del Turismo e dello Spettacolo and ACI-ENIT, pp.55,117, 126, 144,157, Tutto Musica, p.67 (below left); Cento Cose, p.68 (centre); Istituto Bancario San Paolo p. 127 (Pucci Violi).
The publishers apologise if any acknowledgements have been omitted and will be pleased to include them in subsequent editions.

The author would like to thank the following:
Maria Galasso for her invaluable help during the writing of this book.
John Broadbent, Gabriella Piccaluga, Maria Pia Oliver, Giancarlo Varagnolo and Juliet Haydock for their time and assistence.
Signora Ilse for her meticulous proof-reading.
Emanuela Agni for assisting in the layout and artwork.
Finally, I would like to express my gratitude to the Italian Embassy and the Italian Institute in London for their support in launching the Pronti ... Via! series.

PRONTI... VIA!

KEY QUESTIONS

QUANDO?	*When?*	CHE COSA?	*What?*
DOVE?	*Where?*	COME?	*How?*
PERCHÉ?	*Why?*	QUANTO?	*How much?*
CHI?	*Who?*	QUANTI?	*How many?*
QUALE?	*Which?*		

KEY GENERAL PHRASES

Non parlo bene l'italiano.	*I don't speak much Italian.*
Come dice?	*I beg your pardon?*
Potrebbe ripetere ?	*Could you say that again?*
Potrebbe parlare più lentamente ?	*Please don't speak so fast.*
Non capisco.	*I don't understand.*
Come si dice... (in italiano) / scrive... / pronuncia... ?	*How do you say... / write... / pronounce... ?*
Che cosa vuol dire...?	*What does... mean?*
(È) permesso?	*May I get past/ May I come in?*
Mi dispiace!	*I'm sorry.*
Non importa!	*That's all right.*
Per piacere.	*Please.*
Grazie!	*Thank you.*
Prego!	*You're welcome.*
Come stai / sta / va ?	*How are you?*
Buongiorno.	*Good morning (afternoon).*
Buonasera.	*Good evening.*
Buonanotte.	*Good night.*
Arrivederci/Arrivederla. v. formal.	*Good-bye.* See you!
Ciao!	*Hello!/Cheerio!/Bye!/See you!*
A più tardi. / domani.	*See you later. / tomorrow.*

p. 47 + 49.

Advanced. Look at p. 96. p. 162.

P. 108?

Shopping list. p. 64 + 65 clocks - + p. 98.

1. PERSONAL IDENTIFICATION

How to give information about yourself and others (e.g. members of the family or a host family) and seek information from others with regard to:

L		R
☐	Name (including spelling your own name).	☐
☐	Home address (including spelling the name of your home town).	☐
☐	Telephone numbers.	☐
☐	Age and birthdays.	☐
☐	Nationality.	☐
☐	Likes and dislikes (with regard to people and other topics in the syllabus).	☐
☐	General description including sex, marital status, physical appearance, character or disposition of yourself and others.	☐

A	B	
1 Come ti chiami ? – casual Come si chiama? – polite	(Mi chiamo)	Maria. Carlo.
2 Come si scrive ?	Emme, A, Erre, I, A. Emme come Milano, A come Ancona... Milano, Ancona, Roma, Imola, Ancona.	
3 Dove abiti – casual Qual è il tuo indirizzo ? Dove abita – polite form	(Abito in) (Il mio indirizzo è) Abito a	Via Marconi, n.5. London.
4 Qual è il tuo numero di telefono ? suo	(Il mio numero di telefono è) 340 12 56	

1 What's your name?	(My name is)	Maria. Mario.
2 How do you spell it?	M.A.R.I.A M for Milan, A for Ancona ..... Milan, Ancona, Rome, Imola, Ancona.	
3 Where do you live? What's your address?	(I live at) (My address is)	Via Marconi 5.
4 What is your telephone number?	(My phone number is) 340 1256	

Telephone alphabet

A	[a]	come	Ancona
B	[bi]		Bologna
C	[tʃi]		Como
D	[di]		Domodossola
E	[e]		Empoli
F	[effe]		Firenze
G	[dʒi]		Genova
H	[akka]		Hotel
I	[i]		Imola
J	[i lunga]		Jersey
K	[kappa]		Kursaal
L	[elle]		Livorno
M	[emme]		Milano
N	[enne]		Napoli
O	[o]		Otranto
P	[pi]		Padova
Q	[ku]		Quarto
R	[erre]		Roma
S	[esse]		Savona
T	[ti]		Torino
U	[u]		Udine
V	[vu]		Venezia
W	[vu doppjo]		Washington
X	[iks]		Xeres/Xantia
Y	[ipsilon/i greka]		York
Z	[dzeta]		Zara

The Italian alphabet
(21 letters)

a A	m M
b B	n N
c C	o O
d D	p P
e E	q Q
f F	r R
g G	s S
h H	t T
i I	u U
l L	v V
	z Z

A) Using the model, give answers orally.

(Come si scrive *Italia* ? -Si scrive: I, ti, a, elle, i, a.)
Come si scrive ...?
Inghilterra, America, telefono, numero .

B) Using the model, give answers orally.

(Come si scrive *Rita*? -Si scrive: erre come Roma, i come Imola,
ti come Torino, a come Ancona.
-Si scrive: Roma, Imola,Torino,Ancona.)

Come si scrive il tuo nome?
Come si scrive ...?
Oliver, Joseph, Kathy, Lee, Anne, Lara, Sonja.

Note:
This 'alphabet' is normally used in telephone calls to explain how a name or address is spelt.

A	B
5 Quanti anni hai?	Ho quattordici / quindici / sedici anni.
6 Quando sei nato / nata ?	(Sono nato) (Sono nata) il 2 gennaio 1974.
7 Quando è il tuo compleanno / compi gli anni ?	Il 3 febbraio. / 4 marzo.
8 Qual è il tuo segno zodiacale? Di che segno sei?	Sono dell'Ariete. / del Toro. / dei Gemelli. / del Cancro. / del Leone. / della Vergine. / della Bilancia. / dello Scorpione. / del Sagittario. / del Capricorno. / dell'Acquario. / dei Pesci.
9 Dove sei nato/a?	Sono nato/a a Siena. / a Oxford. / in Italia. / in Inghilterra.
10 Di che nazionalità sei ?	Sono inglese. / italiano/a. / americano/a. / australiano/a.
11 Da dove vieni?	(Vengo) dall'Inghilterra. / dall'Italia. / dagli Stati Uniti. / dall'Australia.
12 Sei / È / Siete / Sono italiano/a / inglese / italiani/e / inglesi ?	No, sono spagnolo/a. / è americano/a. / siamo spagnoli/e. / sono americani/e.
13 Ti piace l'italiano / questo libro / questa penna ?	Sì, mi piace.
Ti piacciono questi libri / queste penne ?	Sì, mi piacciono.
	No, preferisco...

FILL IN THE FORM

Nome		Titolo di studio	
Cognome		Lingue conosciute	
Via	n.	Data di nascita	
Città	CAP	Attuale occupazione	
Prov.	Tel.		
Stato Civile			
Data		Firma	

Scrivi chiaramente, possibilmente in stampatello

A	B
5 How old are you?	I'm fourteen. / fifteen. / sixteen.
6 When were you born ?	(I was born) on the 2nd of January 1974
7 When is your birthday?	The 3rd of February. / 4th of March.
8 What sign of the Zodiac are you?	I'm an Aries. / a Taurus. / a Gemini. / a Cancer. / a Leo. / a Virgo. / a Libra. / a Scorpio. / a Sagittarian. / a Capricorn. / an Aquarian. / a Piscean.
9 Where were you born ?	I was born in Siena. / Oxford. / Italy. / England.
10 What nationality are you?	I'm English. / Italian. / American. / Australian.
11 Where are you from?	I'm from England. / Italy. / the United States. / Australia.
12 Are you Italian ? / Is he/she English ? / Are you Italian ? / Are they English ?	No, I'm Spanish. / he/she is American. / we are Spanish. / they are American.
13 Do you like Italian / this book / this pen ?	Yes, I like it.
13 Do you like these books / these pens ?	Yes, I like them.
	No, I prefer...

HOW TO DESCRIBE A PERSON

1.	**Who?**	...
2.	**Age**	Ha .... anni. (Avrà... anni).
3.	**Height**	Alto, basso, di statura media, ...
4.	**Build**	Magro, grasso, robusto, snello, ...
5.	**Hair**	• Lunghi, corti, ... • Castani, neri, biondi, ... • Lisci, ricci, ondulati, ...
6.	**Eyes**	Castani, azzurri, verdi, ...
7.	**Dress**	Sportivo, elegante, ...
8.	**Character/disposition**	Allegro, bravo, calmo, divertente, felice, gentile, intelligente, nervoso, meraviglioso, onesto, pigro, severo, serio, studioso, stupido, timido, vivace, antipatico, beneducato, buffo, comprensivo, cortese, geloso, maleducato, noioso, orgoglioso, pazzo, simpatico, superbo, triste, ...
9.	**Occupation**	Autista, cameriere, casalinga, commesso, dentista, direttore, disoccupato, impiegato, infermiere, macellaio, maestro, meccanico, medico, poliziotto, professore, segretario, studente, ... * assistente di volo, avvocato, commerciante, farmacista, idraulico, insegnante, parrucchiere, tassista, ...

1. Nina è mia sorella.
2. Ha 13 anni.
3. È molto alta per la sua età.
4. È piuttosto magra.
5. Ha i capelli lunghi,
   • castani e
   • lisci.
6. Ha gli occhi castani .
7. Veste sempre sportivo.
8. È molto allegra e vivace.
9. Frequenta la terza media...

A) USING THE MODEL AND THE VOCABULARY LIST, FIND OUT WHAT SORT OF PEOPLE ANNA, NADIA AND YOUR BEST FRIEND ARE.

D ivertente
A allegro
V ivace
I ntelligente
D ivertente

DAVID è divertente, allegro, vivace e intelligente.

A ....
N ....
N ....
A ....

ANNA è ....

B) COMPLETE THIS DESCRIPTION

(1) Mi chiamo .... (2) Ho .... anni.
(3) Sono .... e (4) ....
(5) Ho i capelli ...., ... e ....
(6) Ho gli occhi .... (7) Di solito vesto ....
(8) Sono .... e ....

C) WRITE A LETTER TO A PENFRIEND DESCRIBING YOUR BEST FRIEND OR YOUR FAVOURITE MUSICIAN/ACTOR.

incolla qui la fotografia del tuo cantante/attore preferito.

Chi? Quando? Dove? Perché? Che cosa?Quanto?Quanti?

Cognome Rossi
Nome Mario
nato il 15.5.1953
(atto n 2087 P I S A
a Roma
Cittadinanza Italiana
Residenza Roma
Via Fiordalisi n. 5
Stato civile coniugato
Professione impiegato

CONNOTATI E CONTRASSEGNI SALIENTI

Statura 1.73
Capelli castani
Occhi castani
Segni particolari

Carta d'identità ideale dell'italiano medio. Il cognome più comune in Italia è Rossi, il nome Mario. La città con più abitanti è la capitale.

Scriviamoci

Ciao, mi chiamo Alessandro, ho 18 anni e vorrei corrispondere con ragazze di tutto il mondo e di tutte le età. Per ora non vi dico niente di me. Scrivetemi, la risposta è assicurata.

Ciao, Sono una ragazza di 14 anni che ama gli sport e la musica. Vorrei conoscere nuovi amici tramite lettera. Sono dei Pesci e un po' pazza.

Avete una penna e un foglio a portata di mano? Allora scrivete a Leonora.

Sono una ragazza di 16 anni, innamorata della musica, della natura e con una voglia matta di avere nuovi amici.

Se amate la musica e lo sport e siete allegri e frizzanti, prendete carta e penna e scrivete a Loredana e Claudia.

* Ho 14 anni e vorrei corrispondere con gente ... simpatica come me. Lara
* Adoro la musica e le moto. Ho 18 anni e vorrei fare amicizia con ragazze della mia età. Roberto

* Lavoro nel campo della pubblicità, ho 17 anni, gli occhi verdi e sono alto 1 metro e 80. Ho simpatia da regalare e cerco amici e amiche per poter trascorrere felici giornate insieme. Angelo
* Adoro la musica, lo sport, la natura e molte altre cose che scoprirete scrivendomi. Cristina

Ask and Answer the questions below.

INFORMAL (tu)	FORMAL (Lei)
Ciao!	Buongiorno!
Come ti chiami?	Come si chiama?
Ti presento Franco.	Le presento il signor Berio.
Di che nazionalità sei?	Di che nazionalità è?
Di dove sei?	Di dov'è?
Parli italiano?	Parla italiano?
Come stai?	Come sta?
Non c'è male, e tu?	Bene, grazie, e Lei?
Qual è il tuo indirizzo?	Qual è il suo indirizzo?
Quando è il tuo compleanno?	Quando è il suo compleanno?
Quanti anni hai?	Quanti anni ha?
Sei sposato?	È sposato?
Ti piace l'italiano?	Le piace l'italiano?

WORD GAME

THE LETTERS FORMING THE WORDS BELOW HAVE BEEN JUMBLED.
THEY ALL REFER TO 'OCCUPATIONS'. REARRANGE THE LETTERS TO FORM THE WORD.

1. D E O O R T T
2. A A C O O T V V
3. A C C C E I M N O
4. A C C E E H I P R R R U
5. I I L O O O P T T Z
6. A E E G I N N N S T
7. A D E I N S T T
8. A C E E E I M R R
9. A C D I I L O R U
10. D E E N S T T U
11. A A I S T T U

_ **O** _ _ _ _ _
_ _ _ _ **C** _ _ _
_ _ **C** _ _ _ _ _ _
_ _ _ _ **U** _ _ _ _ _ _ _
P _ _ _ _ _ _ _ _ _
_ _ _ _ _ _ **A** _ _ _
_ _ _ **T** _ _ _ _
_ _ _ _ _ **I** _ _ _
_ _ _ _ _ _ _ _ **O**
_ _ _ _ _ **N** _ _
_ _ _ _ **S** _ _

2. FAMILY

How to ...

L		R
☐	Ask information about members of the family	☐
☐	Describe a member of the family (see "Personal Identification").	☐
☐	Describe a family pet.	☐

A

1 Quanti siete Siete tanti	in famiglia		?
2 Come si chiama tuo	padre nonno fratello zio cugino figlio marito cognato nipote suocero	?	
3 Come si chiama tua	madre nonna sorella zia cugina figlia moglie cognata nipote suocera	?	
4 Sei	figlio unico figlia unica	?	

B

Siamo in quattro.	
Si chiama ...	
No,	ho due sorelle. un fratello maggiore. una sorella gemella.

A

1 How many of you are there Are there many of you	in your family?	
2 What is your	father grandfather brother uncle cousin son husband brother-in-law nephew father-in-law	called?
3 What is your	mother grandmother sister aunt cousin daughter wife sister-in-law niece mother-in-law	called?
4 Are you an only child?		

B

There are four of us.	
He's She's called...	
No, I have	two sisters. an older brother. a twin sister.

A			B	
5 Che lavoro fa	tuo padre tua madre	?	Lavora in	un ufficio. una fabbrica. un negozio.
			È	impiegato/a. operaio/a. maestro/a. disoccupato/a.
6 Passi molto tempo con i tuoi (genitori) ?			Ci vediamo all'ora dei pasti, di solito.	
7 Vai d'accordo con	tuo fratello tua sorella	?	Sì, (quando è di luna buona). Non molto.	
8 E i tuoi genitori, come sono? Severi?			Non posso lamentarmi; mi lasciano abbastanza libero/a.	
9 Vedi spesso i tuoi	parenti... cugini... zii...	?	Sì, quasi tutte le domeniche. Solo a Natale e a Pasqua.	

WORDSEARCH **FAMILY**

- Cross out, in the box of letters, all the words listed on the left of the page;
- The words read horizontally, vertically or diagonally and may run either forwards or backwards, some letters being used more than once.
- The remaining letters, running from left to right, will give you the solution.
- Put the articles (il, la, lo, i) in front of the words listed on the left of the page.

La madre e il padre sono i genitori (parents).

Key: Lo zio è _ _ _ _ _ _ _ _ _

FAMIGLIA
FIGLIO
FRATELLO
GEMELLI
GENITORI
MADRE
MARITO
MOGLIE
NIPOTE
NONNI
PADRE
SORELLA
ZIO

O	S	O	R	E	L	L	A	E
L	P	T	F	U	N	I	I	G
L	A	I	P	I	L	L	E	I
E	D	R	A	G	G	N	L	I
T	R	A	I	O	I	L	R	N
A	E	M	M	T	E	E	I	N
R	A	N	O	M	Z	I	O	O
F	T	R	E	R	D	A	M	N
E	I	G	N	I	P	O	T	E

A

5 What job does your	father mother	do?
6 Do you spend a lot of time with your parents?		
7 Do you get on with your	brother ? sister ?	
8 And your parents, how are they? Strict?		
9 Do you often see your	relations... ? cousins... uncles...	

B

He/She works in	an office. a factory. a shop.
He/She is	an employee. a worker. a (primary) teacher. unemployed.
We usually meet at meal-times.	
Yes, (when he/she is in a good mood). Not much.	
I can't complain; they leave me quite free.	
Yes, almost every Sunday. Only at Christmas and Easter.	

DIALOGUES

1.

A Quanti siete in famiglia?
B Siamo in quattro e voi?
A Noi siamo in tre.

2.

A Come si chiamano i tuoi genitori?
B Mio padre si chiama Gianni e mia madre Silvia.
A Che lavoro fanno?
B Mio padre è meccanico e mia madre è impiegata in banca.

3.

A Sei figlio unico?
B No, ho due sorelle.
A Come si chiamano?
B La più grande si chiama Monica e la più piccola Patrizia.

4.

A Passi molto tempo con i tuoi genitori?
B Beh, durante la settimana, ci vediamo solo all'ora dei pasti.
A Come mai?
B Perché lavorano tutti e due.

5.

A Siete tanti in famiglia?
B Siamo in cinque: mio padre, mia madre, due fratelli ed io.
A Vai d'accordo con i tuoi fratelli?
B Solo con Paolo.
A Perché solo con Paolo?
B Forse perché siamo gemelli.

6.

A Vedi spesso i tuoi parenti?
B Non molto.
A Perché?
B Abitano tutti in un'altra città.

7.

A Ti piacciono gli animali?
B Sì, moltissimo.
A Hai qualche animale in casa?
B Sì, ho un cane e un gattino.

GLI ANIMALI DOMESTICI

A		B			
1 Hai Ha Avete Hanno	animali in casa?	Sì,	ho ha abbiamo hanno	un	gatto. cane. canarino. criceto.

HOW TO DESCRIBE AN ANIMAL

- *What sort of animal: gatto, cane ...*
- *Physical details; general appearance:*
  muso (muzzle), coda (tail), zampa (paw), pelo/mantello (coat), la piuma (feather) ...
- *Behaviour:*
  - *miagolare (to mew), agile (agile) graffiare (to scratch), fare le fusa (to purr),*
  - *abbaiare (to bark), giocare (to play), annusare (to smell), mordere (to bite) ...*

> Ho un bel gatto che si chiama Miro.
> È agilissimo e non sta mai fermo.
> Ha il pelo grigio e molto morbido.
> Ha gli occhi grandi, verdi e furbi.
> Miagola spesso e, quando è contento, vuole giocare o fa le fusa .
> Gli voglio molto bene ...

Following the model, write a description of your family pet or your favourite animal.

• • • • • • • • • • • • • • • •

ANIMALI DA FATTORIA *(farm)*

L'anatra*(duck)*, il fagiano *(pheasant)*, la gallina *(hen)*, il gallo *(cock)*, l'oca *(goose)*, il pavone *(peacock)*, il piccione *(pigeon)*, il pulcino *(chick)*, il tacchino *(turkey)*, il coniglio *(rabbit)*, il bue *(ox)*, la mucca *(cow)*, il toro *(bull)*, il vitello *(calf)*; l'asino *(donkey)*, il cavallo *(horse)*, il puledro *(colt)*; la pecora *(sheep)*, l'agnello *(lamb)*, la capra *(goat)*, il maiale *(pig)*.

• Match the animal to its sound. e.g. 1e,...

1. l'asino	a. canta
2. il bue	b. pigola
3. il cane	c. abbaia
4. la gallina	d. bela
5. il gallo	e. raglia
6. il gatto	f. tuba
7. la pecora	g. miagola
8. il piccione	h. muggisce
9. il pulcino	i. schiamazza

PETS

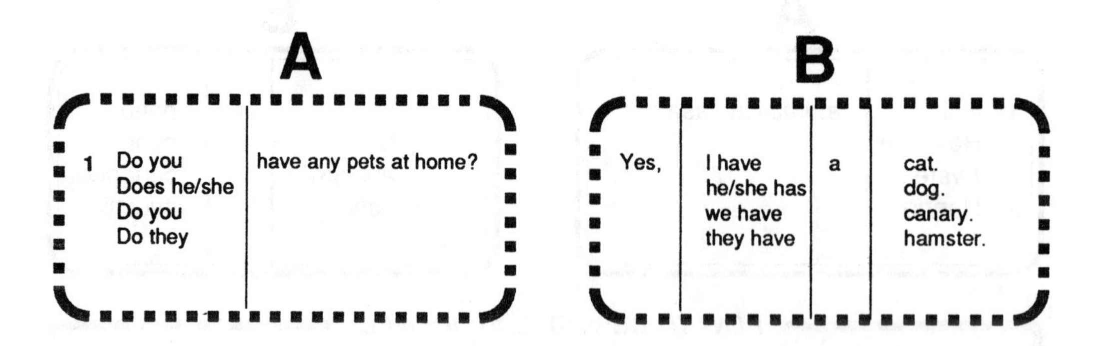

A

1	Do you Does he/she Do you Do they	have any pets at home?

B

Yes,	I have he/she has we have they have	a	cat. dog. canary. hamster.

3. HOUSE AND HOME

HOUSE AND HOME (General)

How to ...

L		R
☐	Say whether you live in a house, flat, etc., and ask others the same.	☐
☐	Describe your house, flat, etc., and its location.	☐
☐	Find out about and give details of rooms, garage, garden, etc.	☐
☐	Say whether you have a room of your own and describe your room.	☐
☐	Mention or enquire about availability of the most essential pieces of furniture, amenities, services.	☐
☐	Offer to help.	☐
☐	Ask where places and things are in a house (e.g. bathroom, toilet, glass).	☐
☐	Say you need soap, toothpaste or a towel.	☐
☐	Ask if another person needs soap, toothpaste or a towel.	☐
☐	Invite someone to come in, to sit down.	☐
☐	Thank someone for hospitality.	☐
☐	*Offer and ask for help to do something about the house.	☐
☐	*Ask permission to use or do things when a guest of an Italian-speaking family.	☐
☐	*Say what jobs you do around the home.	☐

A

1	Dove abiti?		
2	C'è	il riscaldamento centrale l'ascensore il giardino il garage	?
3	Hai una camera tua?		

B

Abito	in	centro. periferia. un appartamento. un palazzo. una villa.
Sì, c'è. No, non c'è.		
No, la divido con mio fratello. Sì, è piccola, ma bella.		

IN PAIRS. Draw your own room and describe it to your partner.

La camera da letto

Arredamento moderno	❐	Molto luminosa	❐	Cognome ....
Arredamento in stile	❐	Poco luminosa	❐	Nome ....
Arredamento misto	❐	Scura	❐	Via ....
Casa nuova costruzione	❐	Metri quadri totali		Località ....
Casa vecchia costruzione	❐	Altezza soffitto		Cap. ....Prov. ....

LETTO ARMADIO SEDIA COMODINO TELEVISORE FINESTRA PORTA

A			
1	Where do you live?		
2	Is there	central heating a lift a garden a garage	?
3	Have you got your own room?		

B	
I live in	the town-centre. the outskirts. a flat. a block of flats. a villa.
Yes, there is. No, there isn't.	
No, I share it with my brother. Yes, it's small but nice.	

A

4 Dov'è	il bagno il gabinetto il frigorifero il garage		?
5 Dove	è	il cuscino la coperta	?
	sono	le posate i piatti	
6 Hai bisogno	del sapone del dentifricio dell'asciugamano della sveglia di qualcosa		?
7 Posso	darti una mano esserti utile fare qualcosa apparecchiare sparecchiare lavare i piatti preparare da mangiare spolverare stirare		?
8 Potrei	guardare la televisione telefonare		?
9 Posso entrare Permesso Disturbo			?
10 Grazie per l'ospitalità! Siete stati molto gentili! Spero di poter ricambiare presto!			
11 È caro l'affitto? Quanto paghi d'affitto?			
12 (tu) (lui/lei) (voi) (loro)	paghi paga pagate pagano	molto?	

B

È	davanti a... in fondo a... accanto a... di fronte a...	
Eccolo. Eccola.		
Eccole. Eccoli.		
Sì,	avrei bisogno di... mi servirebbe...	
No, grazie! Non c'è bisogno. No, non disturbarti! No, lascia stare! Faccio da solo/a. Sì, grazie...		
Sì ,	certamente! fai come fossi a casa tua!	
Avanti! Accomodati! (Prego), entra!		
Pago Paga Paghiamo Pagano	centomila duecentomila trecentomila quattrocentomila	lire al mese.

	A	B
	A	**B**
4	Where's the bathroom / toilet / fridge / garage ?	It's opposite... at the end of... next to... in front of...
5	Where's the pillow / blanket / cutlery ?	Here it is.
	Where are the plates ?	Here they are.
6	Do you need any soap / any toothpaste / a towel / an alarm clock / anything ?	Yes, I need some... a...
7	Can I give you a hand / be of any help / do something / lay the table / clear the table / wash the dishes / make something to eat / do the dusting / do the ironing ?	No thank you, there's no need. No, don't bother. No, leave it! I can manage. Yes, thank you...
8	Could I watch television / make a phone call ?	Yes, of course, make yourself at home!
9	May I come in / May I / Am I interrupting ?	Come in ! Make yourself comfortable! (Please) come in!
10	Thank you for your hospitality! You have (all) been so kind! I hope I can do the same for you soon!	
11	Is the rent high? How much rent do you pay?	I pay / He/she pays / We pay / They pay — 100,000 / 200,000 / 300,000 / 400,000 — lire a month.
12	Do you / Does he/she / Do you / Do they pay a lot?	

LIFE AT HOME AND DAILY ROUTINE

How to ...

L		R
☐	State: at what time you usually get up, go to bed and have meals; how you spend your evenings and weekends.	☐
☐	Ask others the same (see also Topic 12).	☐
☐	Say what you do to help at home [see p. 19. 7]	☐
☐	Say whether you have a spare-time job. If so, what job, what working hours, how much you earn.	☐
☐	Say how much spending money you get and what you do with it.	☐

A	B
1 A che ora ti svegli / alzi ?	Mi sveglio / alzo alle ...
A che ora fai colazione / pranzi / ceni ?	Faccio colazione / Pranzo / Ceno alle ...
A che ora vai a letto / dormire ?	Vado a letto / dormire alle ...
2 Hai trovato un lavoretto?	Sì, lavoro in un bar. Do lezioni di inglese.
3 È faticoso / impegnativo ?	No, non molto. Sì, ma mi piace.
4 Quante ore lavori?	Lavoro 4 ore al giorno.
5 Quanto guadagni / Guadagni molto ?	Guadagno ... lire all'ora. / al mese.
6 Che cosa fai con i soldi che guadagni? / ti dà la tua famiglia?	(Mi) compro dei dischi. / libri. / vestiti.

	A				B	
1 What time do you	wake up get up have breakfast have lunch have dinner go to bed sleep	?		I	wake up get up have breakfast have lunch have dinner go to bed sleep	at...
2 Have you found a part-time job?				Yes, I work in a bar. I give English lessons.		
3 Is it	tiring demanding	?		No, not really. Yes, but I like it.		
4 How many hours do you work?				I work 4 hours a day.		
5 How much do you earn ? Do you earn a lot?				I earn...lire	an hour. a month.	
6 What do you do with	the money you earn ? your pocket-money?			I buy	records. books. clothes.	

LEAVING MESSAGES

Non posso venire. Ci vediamo domani.
Ti spiegherò tutto.

Ciao,
Marco

È passato Luca. Non ha lasciato
detto niente.

Forse rientro tardi. Ricordati di dare
da mangiare al cane!

HOW TO DESCRIBE A HOUSE ...

Key Words

c'è, ci sono	in alto	sopra
	basso	sotto
a destra	mezzo a	vicino a
sinistra	fondo a	accanto a
	cima a	di fronte a
		dentro
		intorno

Vocabulary

1 l'ascensore
2 il bagno
3 il balcone
4 la camera da letto
5 la cantina
6 il corridoio
7 la cucina
8 l'entrata
9 la facciata
10 la finestra
11 la parete
12 il pavimento
13 la porta
14 il portone
15 il primo/secondo/ terzo piano
16 il ripostiglio
17 la sala da pranzo
18 il salotto
19 le scale
20 la soffitta/il solaio
21 il soffitto
22 il soggiorno
23 il terrazzo
24 il tetto

Io abito a Roma in un palazzo di cinque piani.
Davanti al palazzo c'è un giardino con due alberi e tanti fiori.
Dietro, sulla destra, ci sono dei garage.
Il mio appartamento è al terzo piano.
Dalla porta principale si entra in un corridoio.
Nel corridoio ci sono quattro porte.
Dalla prima a destra si entra nel soggiorno e dalla seconda in cucina; da quella di fronte si va nel bagno; dalla porta a sinistra si entra in camera mia e accanto alla mia camera c'è quella dei miei genitori ...

Following the model, write a letter to your penfriend where you describe your house or flat:

- *general description*
- *detailed description (e.g. starting from the left)*

there is, there are	up	above
	down	below
on the right / left	in the middle of	near
	at the bottom of	next to
	on top of	opposite/in front of
		inside
		around

Vocabulary

1 lift
2 bathroom
3 balcony
4 bedroom
5 cellar
6 corridor
7 kitchen
8 entrance hall
9 façade
10 window
11 wall
12 floor
13 door
14 main door
15 first/second/ third floor
16 store-room
17 dining-room
18 drawing-room
19 stairs
20 attic/loft
21 ceiling
22 living-room
23 terrace
24 roof

Complete the table.

Furniture and fittings:

1	Nel soggiorno	c'è	il divano. la televisione. ....
		ci sono	le poltrone. i mobili. i libri. ....
2	In cucina	c'è	il tavolo. il lampadario. ....
		ci sono	le sedie. gli elettrodomestici. ....
3	Nella camera da letto	c'è	il letto. l'armadio. ....
		ci sono	i comodini. i tappeti. ....

apriscatole
coperte
credenza
cucchiai
cucina a gas
cuscino
forchette
guardaroba
lavandino
lenzuola
libreria
materasso
mensole
pentole
piante
quadri
scolapiatti
sedia a dondolo
specchiera

4 Nel bagno ci sono: il gabinetto, la carta igienica, il bidè, la doccia, il lavabo, gli asciugamani, lo specchio, la vasca da bagno, ...

1	In the living-room	there is	a sofa a television ....
		there are	some armchairs some pieces of furniture some books ....
2	In the kitchen	there is	a table a chandelier ....
		there are	some chairs some household appliances ....
3	In the bedroom	there is	a bed a wardrobe ....
		there are	some bedside tables some rugs ....

4

In the bathroom there is: toilet, toilet-paper, bidet, shower, wash-basin, bath towels, mirror, bath, ...

WORDSEARCH

When you have crossed out all the words, the remaining letters from left to right, will give you the Italian for "the electrical household appliances".

Key: _

BOTTIGLIA
CASSETTO
COLINO
COLTELLO
CUCCHIAIO
CUCCHIAINO
CUCINA
FRIGORIFERO
FORCHETTA
FORNO

PENTOLA
PIATTINO
PIATTO
POSATE
SEDIA
TAVOLO
TAZZA
TEIERA
TOVAGLIA
TOVAGLIOLO

```
G C U C C H I A I N O L
T A L O T N E P I R N E
O T T E S S A C E T I O
V A A F L F E F P E L I
A N V T O O I T O I O A
G I O R O R A D S E C I
L C L O O N C M A R A H
I U O G I O E H T A Z C
A C I Z I A I D E S Z C
S R Z O T T A I P T A U
F A O L L E T L O C T C
T O V A G L I O L O T A
O N I T T A I P B I C I
```

DIALOGUE

HOUSE AND HOME

1. **A.** Dove abiti?
   B. Abito in centro, in un appartamento.
   A. Paghi molto d'affitto?
   B. Sì, pago quattrocentomila lire (400.000 lire).

2. **A.** È tua la casa dove vivi o sei in affitto?
   B. No, sono in affitto.
   A. È caro l'affitto?
   B. Sì, perché la casa è in un quartiere residenziale.

3. **A.** È facile trovare un appartamento a Milano?
   B. No, è molto difficile e i prezzi sono alti.

4. **A.** Dove abiti?
   B. Abito in un palazzo in via Cavour.
   A. A che piano si trova il tuo appartamento?
   B. Al quinto piano.
   A. È grande?
   B. Sì, ci sono quattro stanze più i servizi e il terrazzo.
   A. C'è del verde intorno?
   B. Sì, davanti al palazzo c'è un grande giardino.
   A. Paghi molto d'affitto?
   B. L'appartamento è dei miei genitori.

5. **A.** Dove abiti?
   B. In una casa in periferia.
   A. Quanti piani ha?
   B. Due piani.
   A. È molto grande?
   B. Abbastanza, al primo piano ci sono il corridoio, la cucina, il salotto e il gabinetto e al secondo piano tre camere da letto e i servizi.
   A. Hai il giardino?
   B. Sì, uno piccolo sul davanti e uno più grande, dietro la casa.

6. **A.** Dove abiti?
   B. Abito in un palazzo al terzo piano.
   A. Quanto paghi d'affitto?
   B. Non ne pago, perché ho comprato l'appartamento l'anno scorso.
   A. Quanto si paga di condominio?
   B. Centomila lire al mese.

7. **A.** Hai una camera tua?
B. No, la divido con mia sorella.
A. È grande la camera?
B. No, è piccola, ma bella e luminosa.

8. **A.** Dov'è il bagno?
B. È di sopra, davanti alla camera da letto.

9. **A.** Hai bisogno di qualcosa?
B. Sì, avrei bisogno del sapone.
A. Eccolo.
B. Grazie!

10. **A.** Posso dare una mano?
B. Sì, grazie! Potresti aiutare Teresa a sparecchiare.
A. Sì, volentieri!

LIFE AT HOME AND DAILY ROUTINE

1. **A.** A che ora ti alzi di solito?
B. Mi alzo alle sette e un quarto.
A. E a che ora fai colazione?
B. Faccio colazione alle sette e mezzo.

2. **A.** A che ora pranzi?
B. Pranzo a mezzogiorno e quaranta.
A. A che ora ceni?
B. Ceno alle otto.

3. **A.** Hai trovato qualche lavoretto?
B. Sì, lavoro in un bar.
A. È molto faticoso?
B. Sì, ma mi piace.
A. Perché?
B. Perché posso parlare italiano.
A. Quante ore lavori al giorno?
B. Lavoro quattro ore al giorno.
A. Guadagni molto?
B. Non molto, ma mi danno molte mance.
A. Che cosa fai con i soldi che guadagni?
B. Compro vestiti, dischi e qualche rivista di musica.

ANSWER THE QUESTIONS

1. Dove abiti?
2. È grande la tua casa?
3. Quante stanze ci sono?
4. Quanti piani ha?
5. C'è il terrazzo?
6. C'è il garage?
7. C'è il giardino?
8. Quanto paghi d'affitto?

9. A che ora ti svegli?
10. A che ora ti alzi?
11. A che ora fai colazione?
12. A che ora vai a scuola/a lavorare?
13. A che ora pranzi?
14. A che ora torni da scuola/dal lavoro?
15. A che ora ceni?
16. A che ora vai a dormire?

17. Hai mai lavorato?
18. Quante ore al giorno lavoravi?
19. Quanto guadagnavi?
20. Che cosa hai fatto con i soldi che hai guadagnato?

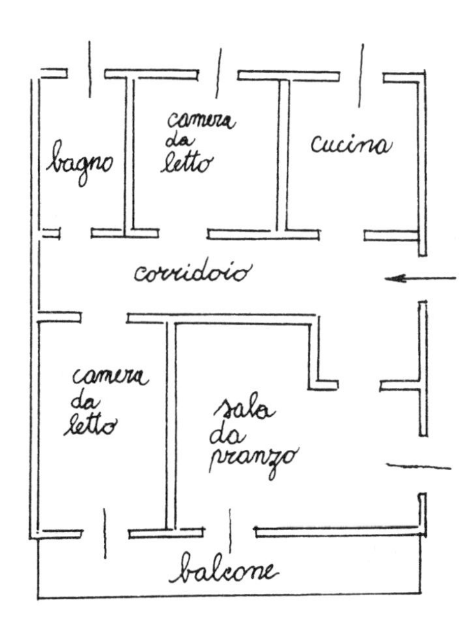

COMMON WORDS IN ADVERTS

ACCESSORI	*fittings*
AFFITTO	*rent*
AGENZIA IMMOBILIÁRE	*estate agency*
AMMOBILIATO	*furnished*
ARMADIO	*wardrobe*
ARREDAMENTO	*furnishing*
APPARTAMENTO	*flat*
ASCENSORE	*lift*
BIANCHERIA	*linen*
BILOCALE	*two room flat*
BOX PER AUTO	*garage*
CASALINGHI	*household articles*
CASSAPANCA	*linen chest*
CASSETTI	*drawers*
COLLINA	*hill*
COMODINIO	*bedside table*
COMPRARE	*to buy*
CONDIVIDERE	*to share*
CONDOMINiO	*joint ownership*
CUCINA	*kitchen; cooker*
CUCINA COMPONIBILE	*fitted kitchen*
DIVANO LETTO	*bed settee*
DOPPI SERVIZI	*two bathrooms*
DOTATO DI	*equipped with*
ELETTRODOMESTICI	*electrical household appliances*
ENTROTERRA	*hinterland*
FORESTERIA	*guest-rooms*
GRATUITO	*free of charge*
IN BUONO STATO	*in good repair*
INQUILINO	*tenant*
INSERZIONE	*advert*
LETTO A CASTELLO	*bunk bed*
LOCALE	*room*
LUSSUOSO	*luxurious*
MESI ESTIVI/INVERNALI	*summer/winter months*
MONOLOCALE	*one room flat*
NUOVO DI ZECCA	*brand new*
OCCASIONI	*bargains*
ORA DI PRANZO	*lunch time*
ORARIO DI UFFICIO	*office hours*
ORE DEI PASTI	*meal time*
PAGAMENTO ANTICIPATO	*payment in advance*
PERMUTARE	*to exchange*
POMERIDIANO	*afternoon*
POSTI LETTO	*beds*
RISCALDAMENTO CENTRALE	*central heating*
RISTRUTTURARE	*to restore; to alter*
SEMINUOVO	*almost new*
SERVIZI	*kitchen and bathroom*
SIGNORILE	*exclusive, luxury*
STABILE	*building*
TERRENO	*land*
TRANQUILLO	*quiet*
TRATTABILI	*negotiable*
ULTERIORI INFORMAZIONI	*further information*
VANO	*room*
VENDERE	*to sell*

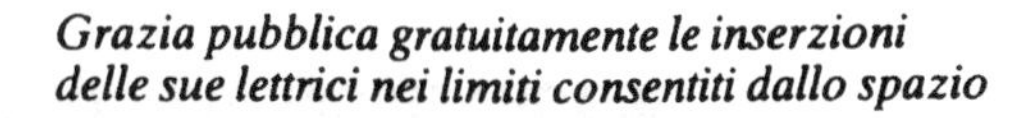

Indirizzare a: Grazia - Piccoli Annunci - 20090 Segrate (Milano).

INSERZIONI GRATUITE

● Condivido alla pari, appartamento centro con tutte le comodità, con persona giovane o due amiche. Esigensi referenze. T. 02/693456

● Sardegna, **Costa Smeralda** affitto dal 6 al 15 settembre appartamento 3 locali, terrazzo. Vista isole, spiaggia privata, golf, prestigioso residence, minimarket, giardini, L. 300.000. T. 06/63450

● Affitto mensilmente **Andora Marina**, 2 locali arredati con giardino, 6 posti letto, anche annualmente purché pagamento anticipato..

● Offro condivisione appartamento in **Cinisello** con persone serie e ordinate a L. 200.000 a persona. T.02/453429

● **Chiavari**, luminoso e moderno appartamento centro città di 2 locali, cucina abitabile, 4 posti letto, ampio parcheggio, terrazzo, affitto mensileT.05/90753

● A **Cesenatico** affitto bellissimo appartamento vicino al mare anche per 15 gioni. T. 0187/34612

CASE E TERRENI

A Santa Margherita di Pula (CA), sul mare, con pineta, tennis, piscina e porticciolo, affitto un bilocale con 4 posti letto e giardino, fino a settembre. Se interessati telefonatemi nelle ore dei pasti al numero 06/385294.

Affitto a Pietra Ligure un appartamento ammobiliato vicinissimo al mare con 6 posti letto; recente costruzione. Telefonate nelle ore pomeridiane o serali al numero 019/691878.

A Courmayeur affitto periodicamente un appartamento molto confortevole composto di tre camere, soggiorno e servizi. Telefonatemi nelle ore dei pasti al numero 0185/770080.

A Casalzuigno (VA) vendo un panoramicissimo appartamento di 80 mq più 32 mq di balconate, dotato di riscaldamento e acqua calda centralizzati, e di ascensore. È disponibile anche un box per auto. Per ulteriori informazioni telefonatemi al numero 02/4078542.

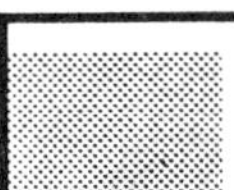

SERVIZIO INTERNAZIONALE

Come si usa:

1. Massimo 25 parole
2. Usate solo lo speciale modulo
3. Un modulo per ogni città
4. Non usate fotocopie.
5. Scrivete in stampatello o a macchina
6. Usate la lingua inglese o quella del paese dove volete fare pubblicare l'annuncio.

FREE ADS PAPER
INTERNATIONAL ASSOCIATION

Secondamano

Spedite a: F.A.P.I.S c/o Secondamano - Via Leonardo da Vinci 19 20143 Milano, Italy.

RIEMPITE IL MODULO IN TUTTE LE PARTI

Nome

Indirizzo

Telefono

Vorrei pubblicare questo annuncio sul seguente giornale

che è pubblicato nella città di

4. GEOGRAPHICAL SURROUNDINGS AND WEATHER

GEOGRAPHICAL SURROUNDINGS

How to give and ask information about your home town or village and surrounding area and seek information from another person regarding:

L		R
☐	Location, character, amenities, attractions, features of interest, entertainments.	☐
☐	Express a simple opinion about your own or someone else's town.	☐
☐	*Outline possibilities for sight-seeing.	☐
☐	*Give full descriptions of your home town/village or that of others, and of the surrounding area and region.	☐
☐	*Say which parts of Italy or the U.K. you know, and talk about them.	☐

	A	B
1	Dove vivi?	Vivo in Italia. / Inghilterra. / America. Vivo a Roma. / Londra. / Chicago.
2	Di dove sei?	Sono di Lucca. / Abingdon.
3	Dove si trova?	Si trova nell'Italia settentrionale. / centrale. / meridionale. Si trova nel nord / sud Italia.
4	È una grande città?	No, è un piccolo paese / un villaggio in montagna. / in collina. / sul mare. / su un fiume. / su un lago.

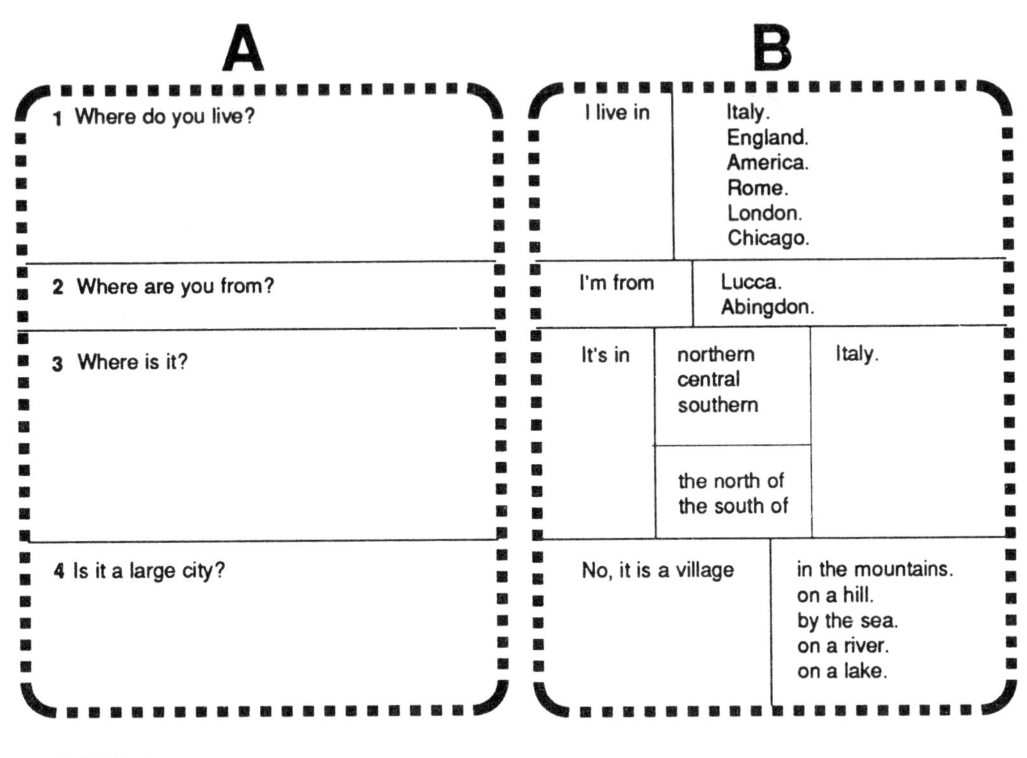

Imperia dalla "a" alla "z"

- ente provinciale per il turismo 18100 - viale matteotti, 54 - tel. 0183/24947
- azienda autonoma di soggiorno e turismo 18100 - viale matteotti, 22 - tel. 0183/60730
- località balneare, climatica, artistica, commerciale
- altezza s.l.m. m 10
- spiaggia: sabbiosa
- abitanti n. 41.838

come arrivare

- autostrada: genova-ventimiglia (A10) uscita al casello di imperia ovest/est
- strada statale «aurelia»
- aeroporto di genova a km 110
- stazione ferroviaria
- servizio autobus
- porto turistico

strutture ricettive

- hotels n. 42
- campeggi
- residences
- villaggi turistici
- appartamenti in locazione
- ristoranti/trattorie
- tavole calde, bar
- agenzie di viaggio
- stabilimenti balneari
- spiagge libere attrezzate

servizi pubblici

- ufficio postale
- polizia e/o carabinieri
- ospedale e/o pronto soccorso
- farmacie
- medici
- veterinari
- banche/uffici cambio
- taxi
- parcheggi pubblici
- assistenza automobilistica

attrezzature sportive e del tempo libero

- tennis
- piscina pubblica
- campo di calcio
- palestra
- basket
- scuola vela
- scuola windsurf
- noleggio barche
- bocce
- sci nautico

A

5 Qual è la città più vicina?				
6 Com'è il paesaggio?				
7 Dove abiti?				
8 Dov'è la tua	scuola casa	?		
9 Quanto	ci vuole impieghi	per andare	a casa? a scuola? in centro ? al mare?	
10 Si	vede	il mare il lago il fiume	?	
	vedono	le colline le montagne		
11 C'è	un aeroporto un centro sportivo un centro commerciale un castello una cattedrale	?		
12 Ci sono	molti	monumenti negozi giardini teatri viali	?	
	molte	discoteche fontane industrie fabbriche		

B

È vicino/a a	Torino. Milano. Napoli. Catania.	
È	collinare. incantevole. monotono. pittoresco. stupendo.	
Abito	nel centro storico. in periferia. in campagna.	
Davanti alla chiesa. Dietro al duomo. In fondo alla strada. Di fronte al bar. In cima alla collina.		
(Circa)	quindici minuti, dieci minuti,	a piedi. in macchina.
Sì, ma bisogna salire sul terrazzo. Purtroppo no.		
Sì, No, non	c'è ...	
Sì, No, non	ci sono ...	

A

5 Which is the nearest city?			
6 What's the country-side like?			
7 Where do you live?			
8 Where's your	school house	?	
9 How long	does it do you	take to go to	your house ? school? the town centre/ the beach?
10 Can you see the	sea lake river hills mountains	?	
11 Is there	an airport a shopping centre a sports centre a castle a cathedral	?	
12 Are there many	monuments shops gardens theatres avenues discotheques fountains industries factories	?	

B

It's near	Turin. Milan. Naples. Catania.	
It's	hilly. enchanting. monotonous. picturesque. wonderful.	
I live in the	old part of town. suburbs. country.	
Opposite the church. Behind the cathedral. At the end of the road. In front of the bar. On top of the hill.		
(About)	fifteen minutes, ten minutes,	on foot. by car.
Yes, but you have to go up onto the terrace.		
Unfortunately not.		
Yes, there is... No, there isn't...		
Yes, there are... No, there aren't...		

A

13 Che cosa fai di solito il week-end?			
14 Ti	piace piacerebbe	vivere	in Italia? in Francia? a Genova? a Parigi?

B

Vado	al cinema. al lago. allo stadio. a teatro. a passeggio.
Sì,	abbastanza. moltissimo.
No,	preferirei vivere a Milano. mi piacerebbe vivere a Londra.

ASK AND ANSWER the questions below.

INFORMAL (tu)	FORMAL (Lei)
Di dove sei?	Di dov'è?
Dove abiti?	Dove abita?
Dov'è la tua scuola?	Dov'è la Sua scuola?
Quanto impieghi per andare a scuola?	Quanto impiega per andare a scuola?
Che cosa fai di solito il week-end?	Che cosa fa di solito il week end?
Ti piace vivere in Gran Bretagna?	Le piace vivere in Gran Bretagna?
Ti piacerebbe vivere in Italia?	Le piacerebbe vivere in Italia?

DIANO MARINA

A Diano Marina tutti i mesi sono adatti per una vacanza: il sole, nel cielo di Diano, è presente più a lungo che in tutti i paesi dell'Europa centrale!
E non solo per questo, Diano si è guadagnata l'appellativo di «indimenticabile»: la cittadina offre una spiaggia di finissima rena in dolce declivio verso il mare, fatta su misura per i bambini, una spaziosa e pianeggiante passeggiata lungo il mare ed ogni martedì, un pittoresco mercatino artigiano dove fare «shopping».
Particolarmente piacevoli sono le gite nell'entroterra o le escursioni in battello lungo la splendida costa. E per i turisti «golosi» Diano Marina riserva una gastronomia raffinata a base di pesci e di crostacei, la possibilità di gustare un delizioso vino, il Vermentino e tante, tante cose ancora.

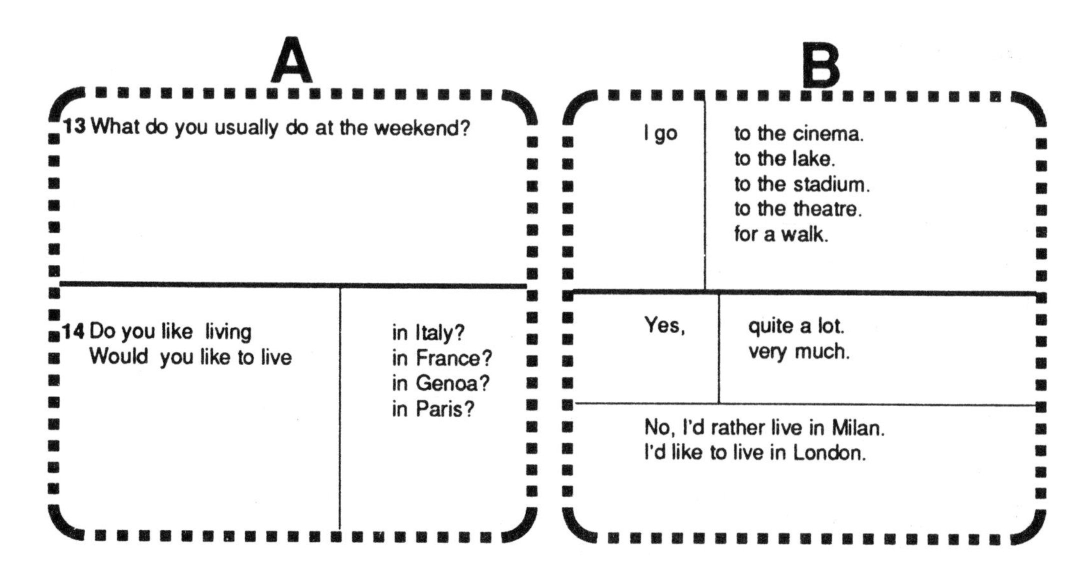

PER ANDARCI

In mezz'ora da Napoli si arriva nell'isola

PER arrivare a Procida ci sono regolari corse di aliscafi daNapoli Mergellina e dal molo Beverello. Si raggiunge l'isola in poco meno di mezz'ora, spendendo sulle diecimila lire. Chi non ha fretta, può servirsi di traghetti in partenza dal porto di Pozzuoli o di Napoli, con biglietti sulle 2-3 mila lire.

Per visitare l'abbazzia di San Michele gli orari migliori sono quelli mattutini (dalle 9 alle 12) con la visita alle cripte dove sono custoditi i preziosi manoscritti. Nel pomeriggio (15-19), l'ingresso è dalla sagrestia. Per informazioni telefonare al 081 896.89.09.

Per dormire e mangiare si può andare da "Crescenzo", alla Marina di Chiaiolella 33, a quattro passi dal porticciolo e da una bella spiaggia. Una doppia costa sulle 80 mila, un pasto sulle 30 mila lire.

Per chi volesse farsi un giro per il golfo, a Procida c'è una delle più affidabili agenzie di brokeraggio nautico d'Italia.

È possibile noleggiare uno yacht nuovissimo di 9 metri, con 6 posti letto, per una settimana al prezzo di un milione e 400 mila lire, cambusa e carburante a parte.

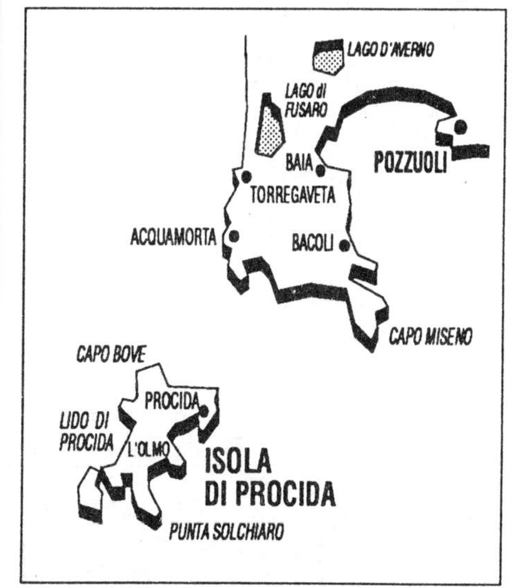

[g.f.]

WEATHER

How to ...

L R

- Describe or comment on weather conditions.
- Inquire about weather conditions in Italy.
- Describe the climate of your own country and enquire about the climate in another country.
- Understand simple predictions about weather conditions.
- *Understand spoken and written weather forecasts.

A

B

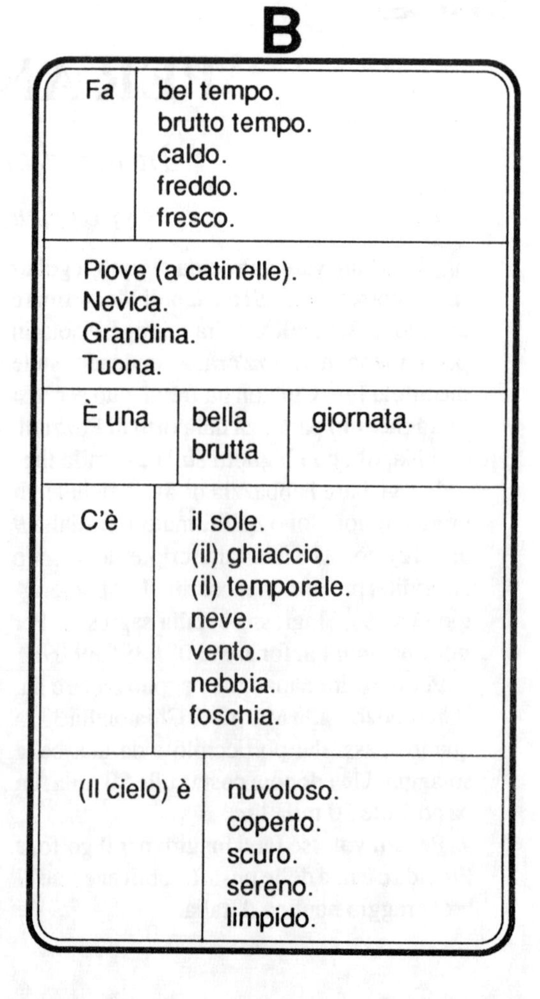

Fa	bel tempo. brutto tempo. caldo. freddo. fresco.	
Piove (a catinelle). Nevica. Grandina. Tuona.		
È una	bella brutta	giornata.
C'è	il sole. (il) ghiaccio. (il) temporale. neve. vento. nebbia. foschia.	
(Il cielo) è	nuvoloso. coperto. scuro. sereno. limpido.	

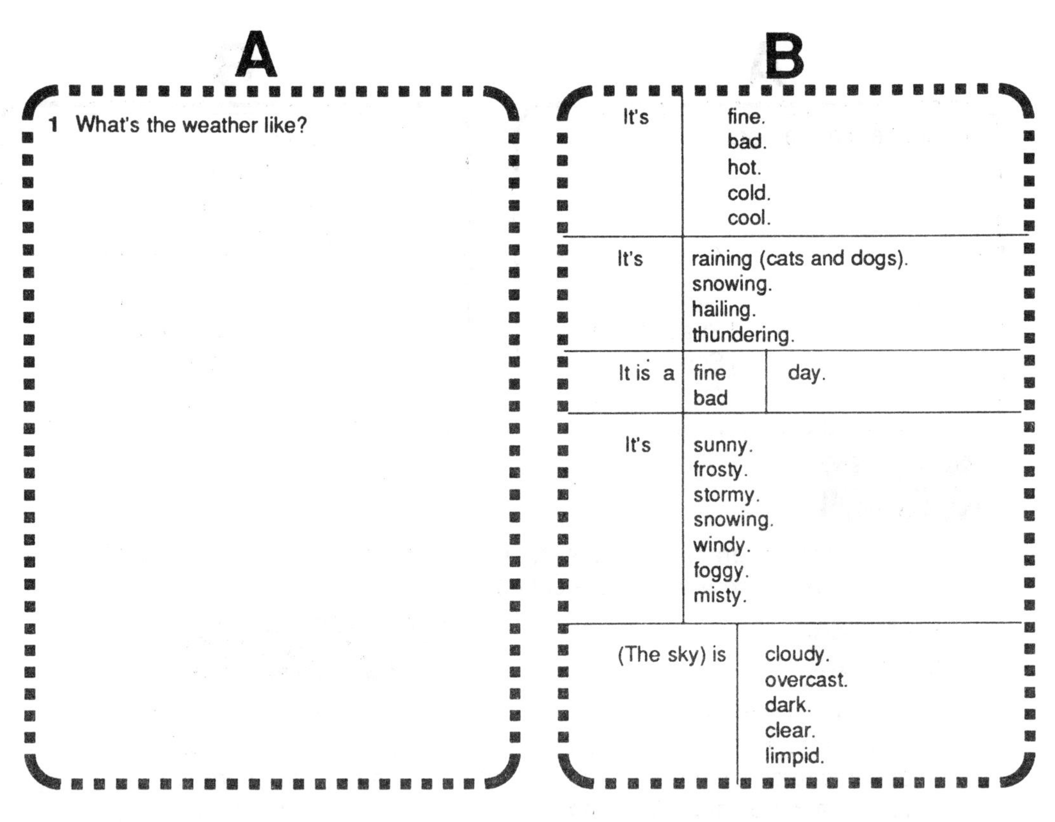

A

1 What's the weather like?

B

It's	fine. bad. hot. cold. cool.	
It's	raining (cats and dogs). snowing. hailing. thundering.	
It is a	fine bad	day.
It's	sunny. frosty. stormy. snowing. windy. foggy. misty.	
(The sky) is	cloudy. overcast. dark. clear. limpid.	

CROSSWORDS

Can you fit the months into their places?

MONTHS

gennaio	*January*
febbraio	*February*
marzo	*March*
aprile	*April*
maggio	*May*
giugno	*June*
luglio	*July*
agosto	*August*
settembre	*September*
ottobre	*October*
novembre	*November*
dicembre	*December*

SEASONS

La primavera	*Spring*
L'estate	*Summer*
L'autunno	*Autumn*
L'inverno	*Winter*

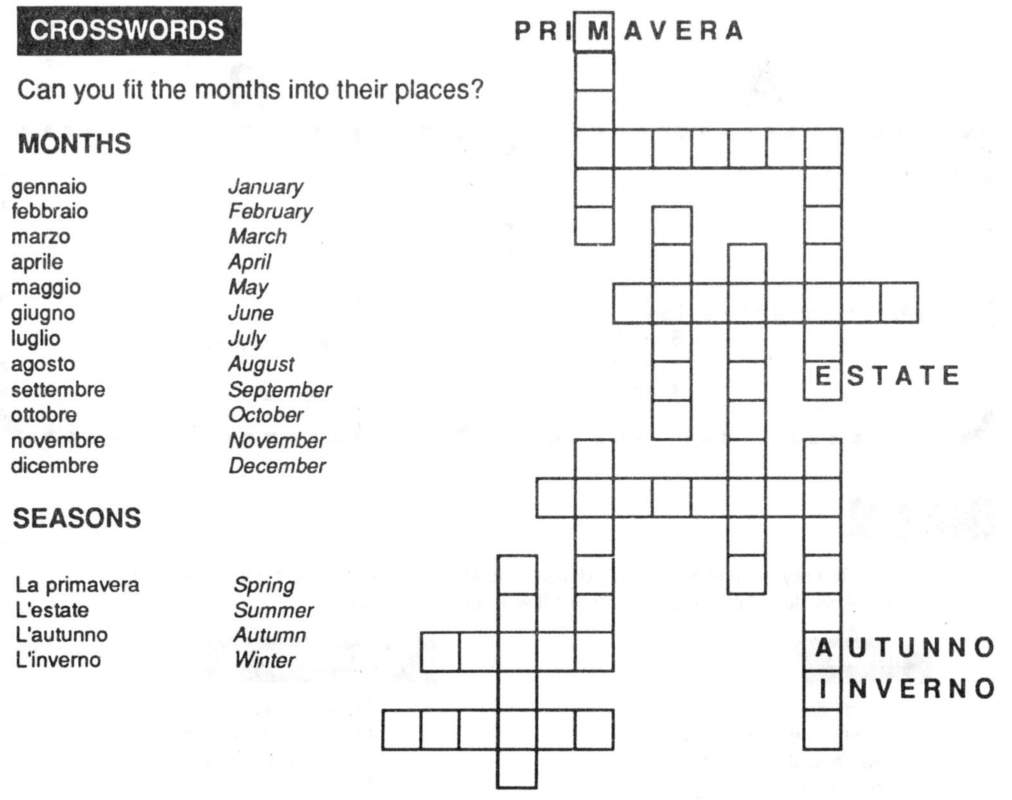

A

2 Com'è il mare oggi?		
3 Com'è il clima in	Italia Spagna Scozia Australia	?

B

È	calmo. poco mosso. molto mosso. agitato.
È un clima	continentale. mediterraneo. mite. magnifico.

PROVERBI

- Rosso di sera bel tempo si spera; rosso di mattina brutto tempo si avvicina.
- Cielo a pecorelle acqua a catinelle.

RIMA

Trenta giorni ha novembre
con aprile, giugno e settembre;
di ventotto ce n'è uno,
tutti gli altri ne hanno trentuno.

SCIOGLILINGUA

Se oggi sereno non è
domani sereno sarà
se non sarà sereno
si rasserenerà.

A

2 What's the sea like today?	
3 What's the climate like in	Italy ? Spain? Scotland? Australia?

B

It's	calm. choppy. rough. very rough.	
It's a	continental mediterranean mild splendid	climate.

PROVERBS

- Red sky at night shepherd's delight; red sky in the morning shepherd's warning.
- A sky full of fleecy clouds means it will rain cats and dogs.

RHYME

Thirty days has November,
April, June and September;
twenty-eight there is only one
all the rest have thirty one

TONGUE-TWISTER

If it is not fine today
it will be fine tomorrow,
if it will not be fine,
fine it will become.

ITALY

Italy is a peninsula.

- **BORDERS:** France, Switzerland, Austria and Yugoslavia.
- **AREA:** 301,263 square km.
  Hills 39.7%;
  Mountains 38.7%;
  Plains 21.6%.
- **MOUNTAINS:** Alpi (Alps), Appennini (Appennines)...
- **VOLCANOES:** Vesuvio (Vesuvius), Stromboli, Vulcano, Etna.
- **ISLANDS:** Sicilia (Sicily), Sardegna (Sardinia), Elba, Ischia, Capri, Tremiti, ...
- **RIVERS:** Po, Adige, Tevere (Tiber), Adda, Oglio, Tanaro, Ticino, Arno, ...
- **LAKES:** Garda, Maggiore, Como, ...
- **SEAS:** Ligure (Ligurian), Tirreno (Tyrrhenian), Ionio (Ionian) and Adriatico (Adriatic).
- **POPULATION:** 57,000,000.
- **DENSITY:** 190 inhabitants per km'
- **LANGUAGE:** Italian.
- **MONETARY UNIT:** Italian Lira (Lit.)
- **POLITICAL SYSTEM:** Democratic Parliamentary Republic.
- **REGIONS:** 20
- **PROVINCES:** 95
- **CAPITAL:** Roma (Rome).

NOTES

☞ *Italian is a Latin language which developed from the dialect spoken in Florence in the 14th century. It became widespread, mainly through the work of three great writers: Dante, Petrarca and Boccaccio.*
- *Many dialects are spoken in Italy and these can be divided into two main groups: northern dialects and central-southern dialects.*
- *Italy contains ethnic groups who speak: Provencal, Franco-Provençal, German, Slovene, Serbo-croat, Catalan, Albanian and Greek.*

☞ *The Parliament,which consists of the Chamber of Deputies and Senate (Camera dei Deputati e Senato), holds legislative power and political control over the government programme.*
- *Executive power is vested in the Government (Consiglio dei Ministri headed by the Presidente del Consiglio).*
- *The President of the Republic, elected by Parliament and representatives from the 20 Regions, remains in power for seven years.*

☞ *The regions of Italy are:*
[North] Valle d'Aosta, Piemonte (Piedmont), Lombardia (Lombardy, Trentino-Alto Adige, Friuli-Venezia Giulia, Veneto, Liguria, Emilia-Romagna;
[Centre] Toscana (Tuscany), Marche (Marches), Umbria, Lazio (Latium), Abruzzo, Molise;
[South] Campania, Puglia (Apulia), Basilicata, Calabria; [Islands] Sicilia (Sicily), Sardegna (Sardinia).

Common words in weather forecasting

ACQUAZZONE	*downpour*
AFA	*sultriness*
ALLUVIONE	*flood*
ALTA PRESSIONE	*high-pressure*
ANTICICLONE	*anticyclone*
ARCOBALENO	*rainbow*
ARIA UMIDA	*humid air*
ATMOSFERA	*atmosphere*
BANCO DI NEBBIA	*fog-bank*
BASSA PRESSIONE	*low-pressure*
BREZZA	*breeze*
BRINA	*hoar-frost*
BUFERA	*storm*
BUFERA DI NEVE	*blizzard*
BUFERA DI VENTO	*windstorm*
BURRASCA	*storm*
CENTRALE	*central*
CICLONE	*cyclone*
DEPRESSIONE	*depression*
EST	*east*
FOSCHIA	*mist*
FRONTE CALDO/FREDDO	*warm/cold front*
FULMINE	*lightning*
GELATA	*frost*
GHIACCIO	*ice*
GRANDINE	*hail*
LAMPO	*flash of lightning*
MAESTRALE	*north-west wind; mistral*
MALTEMPO	*bad weather*
MARE POCO MOSSO	*slight sea*
MARE MOLTO MOSSO	*rough sea*
MARE AGITATO	*very rough sea*
MASSA DI ARIA CALDA/FREDDA	*mass of hot/cold air*
MERIDIONALE	*southern*
MIGLIORAMENTO	*improvement*
MITE	*mild*
NEBBIA	*fog*
NEVE	*snow*
NEVISCHIO	*sleet*
NORD	*north*
NUBE	*cloud*
NUBIFRAGIO	*downpour,cloud-burst*
NUVOLA	*cloud*
NUVOLOSITÀ	*cloudiness*

OCCIDENTE	*western*
ONDATA DI CALDO/FREDDO	*heat/cold-wave*
ORIENTALE	*eastern*
OVEST	*west*
PEGGIORAMENTO	*worsening*
PERTURBAZIONE ATMOSFERICA	*atmospheric disturbance*
PIANURA	*plain*
PIOVASCO	*squall*
PIOVIGGINARE	*to drizzle*
PRECIPITAZIONE	*precipitation*
PREVISIONI DEL TEMPO	*weather forecast*
REGIONE ALPINA	*Alpine region*
REGIONE PADANA	*Po region*
REGIONE ADRIATICA	*Adriatic region*
REGIONE APPENNINICA	*Apennine region*
REGIONE LIGURE-TIRRENICA	*Ligurian-Tyrrhenian region*
REGIONE MEDITERRANEA	*Mediterranean region*
ROVESCIO	*heavy rain; shower*
RUGIADA	*dew*
SCHIARITA	*clearing up*
SCIROCCO	*south-east wind, scirocco*
SETTENTRIONALE	*northern*
SICCITÀ	*drought*
SORGERE	*to rise*
SUD	*south*
TEMPESTA	*storm*
TEMPO BELLO/BRUTTO	*good/bad weather*
TEMPO NUVOLOSO	*cloudy weather*
TEMPORALE	*(thunder-) storm*
TEMPORALESCO	*stormy*
TENDENTE A ...	*tending to ...*
TENDENZA (con ... a)	*with a likelihood of/possibility of*
TIFONE	*typhoon*
TORNADO	*tornado*
TRAMONTANA	*north wind*
TRAMONTARE	*to set*
TROMBA D'ARIA	*whirlwind*
TROMBA MARINA	*waterspout*
TUONO	*thunder*
UMIDITÀ	*dampness*
URAGANO	*hurricane*
VALANGA	*avalanche*
VENTO	*wind*
VENTO LEGGERO	*breeze*
VENTO MOLTO FORTE	*gale*
VISIBILITÀ SCARSA	*poor visibility*

PREVISIONI METEOROLOGICHE

(Alla radio; alla televisione; al telefono; sui giornali)
Trasmettiamo ora le previsioni del tempo, a cura del Bollettino Meteorologico dell'Aeronautica valevoli 24 ore...

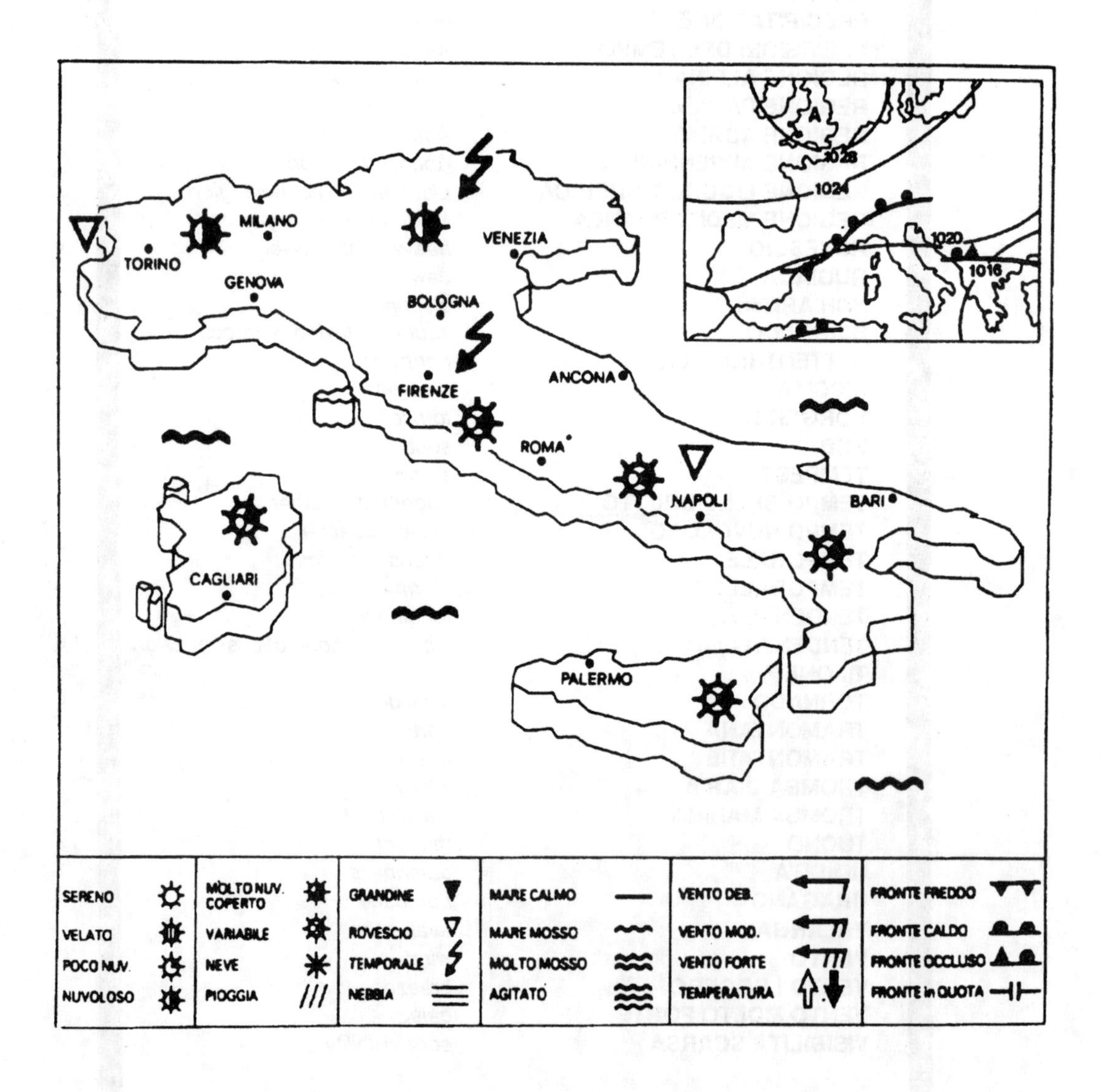

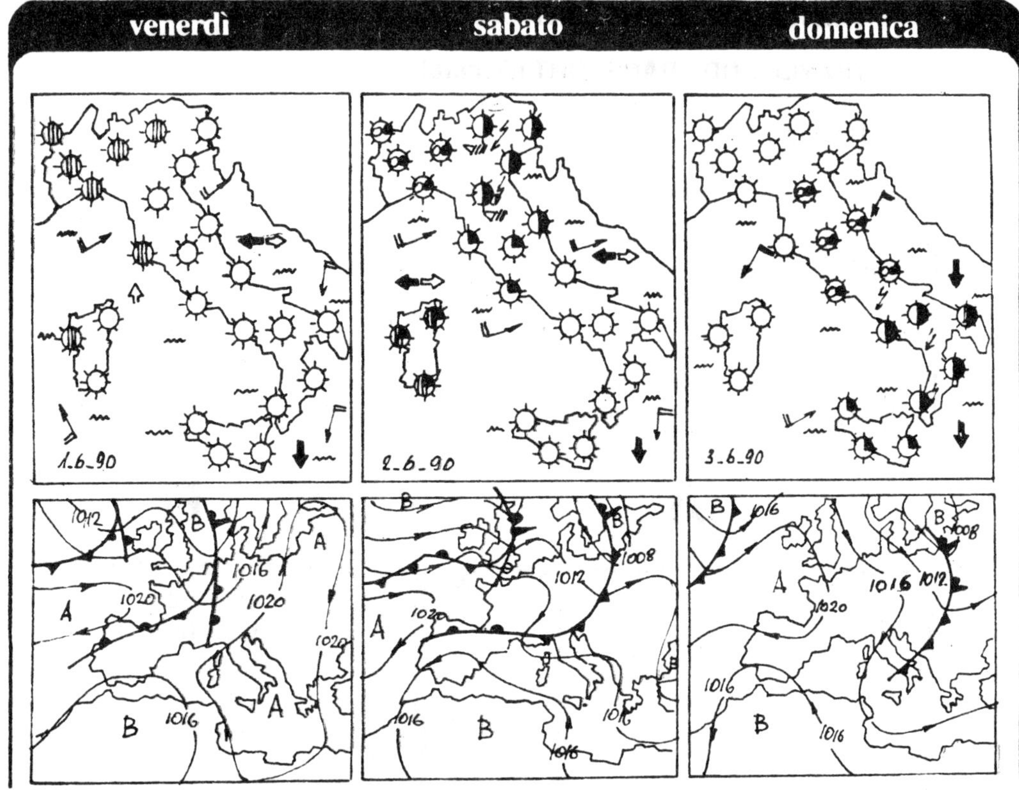

TEMPO PREVISTO PER OGGI

Sull'Italia: sulle regioni settentrionali annuvolamenti irregolari più concentrati sul settore orientale ove si potranno avere manifestazioni temporalesche mentre sul settore occidentale tenderanno a prevalere ampie schiarite. Sulle regioni meridionali prevalenza di cielo sereno o poco nuvoloso.
Sulla Liguria: soleggiato.
Venti: nord orientali deboli.
Mare: sotto costa e al largo mosso con moto ondoso in attenuazione.
Temperature: in aumento le massime.

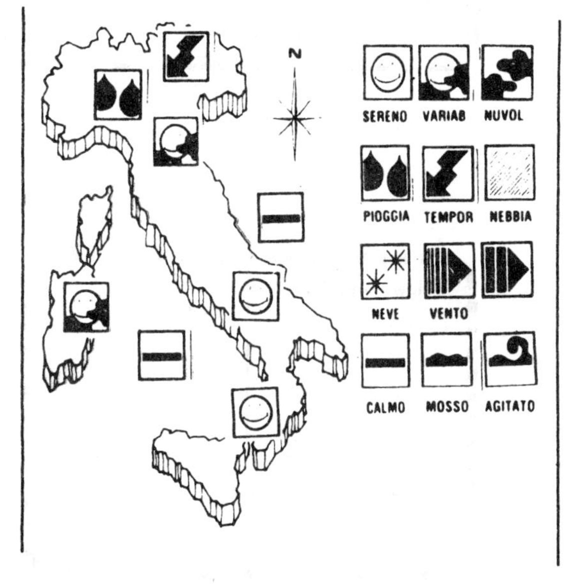

DOMANI

Sull'Italia: su tutte le regioni prevalenza cielo sereno o poco nuvoloso con tendenza verso sera ad aumento di nuvolosità sulla Sardegna e sul settore nord occidentale.
Sulla Liguria: soleggiato al mattino, parzialmente nuvoloso nel pomeriggio.

MARTEDÌ

Al nord, al centro, sulla Sardegna e sulla Campania, molto nuvoloso o coperto con precipitazioni diffuse, più frequenti sulle regioni settentrionali e sulle zone appenniniche ove assumeranno carattere temporalesco. Sulle altre regioni generalmente nuvoloso.

5. TRAVEL AND TRANSPORT

TRAVEL AND TRANSPORT (General)

How to...

L		R
☐	Say how you get to school or place of work (What means of transport, if any; duration of journey.)	☐
☐	Understand and give information about other journeys.	☐

A

1 Come vai	a scuola al lavoro	?
2 Quanto	ci metti impieghi	?

B

In	autobus. macchina. treno. bicicletta. corriera.
A piedi.	
(Circa)	10 minuti. un'ora.

1 How do you get	to school ? to work?
2 How long does it take?	

By	bus. car. train. bicycle. coach.
On foot.	
(About)	10 minutes. an hour ...

FINDING THE WAY

How to...

L		R
☐	Attract the attention of a passer-by.	☐
☐	Ask the way to a place.	☐
☐	Understand directions.	☐
☐	Ask where a place is.	☐
☐	Ask if there is a place or amenity nearby.	☐
☐	Ask if it is a long way to a place.	☐
☐	Ask someone to repeat what they have said.	☐
☐	Say you do not understand.	☐
☐	Thank someone.	☐
☐	*Give directions to strangers.	☐
☐	*State and enquire about distances.	☐

— = orders – imperatives
= to take.

A

1 (Senta), scusi!	
2 (Mi sa dire) dov'è	il museo? il castello? l'ufficio postale? l'ufficio informazioni? la chiesa? la farmacia? la piscina? la questura? la sala d'aspetto? la fermata dell'autobus? la metropolitana? la stazione? un distributore di benzina? un parcheggio? un'officina? un'agenzia di viaggi? una discoteca?

B

Sì, (dica)!		
Prenda la	prima seconda terza	a destra.
Volti Giri		a sinistra.
Continui Vada	(sempre) dritto. fino al semaforo. fino all'incrocio.	
Attraversi	la strada. il passaggio pedonale.	
È lì,	sulla destra.	

A

1 Excuse me!	
2 Can you tell me the way to	the museum? the castle? the post office? the information centre? the church ? the chemist? the swimming pool? the police headquarters? the waiting room? the bus stop? the underground? the station? a petrol station? a car park? a garage? a travel agent? a discotheque?

B

Yes.		
Take the	first second third	on the right. on the left.
Turn	right. left.	
Carry straight on.		
Go	as far as as far as	the traffic light. the cross-road.
Cross	the road. the pedestrian crossing.	
It's there, on your right.		

A			
3	Scusi, c'è	una banca una trattoria un ristorante	qui vicino ?
4	È molto lontano da qui?		
5	Come, scusi? Non capisco.		
6	Può	ripetere, parlare più piano,	per favore?
7	Grazie! Mille grazie! E' molto gentile!		

B
A 20 metri, sulla sinistra. Di fronte a ... = opposite Accanto a ... Vicino a ... Nella via parallela a questa.
No, (circa) 10 minuti a piedi. Sì, deve prendere un taxi.

INFORMAL (tu)	FORMAL (Lei)
Scusa!	Scusi!
Sai dov'e il museo?	Sa dov'e il museo?
Prendi la prima a destra.	Prenda la prima a destra.
Volta a sinistra.	Volti a sinistra.
Gira a destra.	Giri a destra.
Continua sempre dritto.	Continui sempre dritto/diritto.
Vai fino al semaforo.	Vada fino al semaforo.
Attraversa la strada.	Attraversi la strada.

3	Excuse me, is there	a bank a trattoria a restaurant	near here?
4	Is it very far from here?		
5	Excuse me, what did you say? I don't understand.		
6	Could you	say it again, speak more slowly,	please?
7	Thank you! Thank you very much! Very kind of you!		

20 metres, on the left. Opposite... Next to... Near... On the road parallel to this one.
No, (about) ten minutes walk. Yes, you'll have to take a taxi.

TRAVEL BY PUBLIC TRANSPORT

How to ...

L | R

- Ask if there is a bus, train or coach to a particular place.
- Buy tickets specifying: destination, single or return, class and day of travel.
- Ask about the times of departure and arrival.
- Inform someone about proposed times of departure and arrival.
- Ask and check whether it is: the right platform, station, line or train, bus, coach number or stop.
- Ask about the location of facilities (e.g. bus-stop, waiting room, information office, toilets).
- Ask if and/or where it is necessary to change trains, buses or coach.
- Check or state whether a seat is free.
- *Ask how to get to a place by coach, bus, rail or underground.
- *Give information about this to others.
- *Reserve a seat.
- *Ask for information, timetables or a map of the metro.
- *Inquire about price reductions and supplements.

A

1 C'è	una corriera un autobus	per	Firenze la stazione	?
2 C'è un treno	espresso rapido	per Padova ?		
3 Vorrei un biglietto di	andata. andata e ritorno.			

B

Mi dispiace, non lo so. Sì, il numero 20.		
Sì, ce n'è uno	tra mezz'ora. alle sette e dieci.	
Di	prima seconda	classe?

BIGLIETTO EMESSO DALLA
STAZIONE DI IMPERIA ONEGLIA

Mod. Ci-202-me-3

N° 38390 C

DA IMPERIA ONEGLIA — A ALASSIO — E RITORNO — 184 — 38390

VIA

09-04-89 — 1 — 09-04-89

**20 — 2 — AR — 02 — 01 — 00 — A/R ORDINARIO — **1.800

NOMINATIVI DEI VIAGGIATORI E/O NOTE

A

1 Is there	a coach bus	for	Florence? the station?
2 Is there	an express a special express		train for Padua?
3 I'd like a	single return		ticket.

B

I'm sorry, I don't know. Yes, number 20.	
Yes, there's one	in half an hour. at ten past seven.
First Second	class?

A	B
4 A che ora parte / il treno / la corriera / per Roma?	Parte alle 16.30.
5 A che ora / Quando / parte da / arriva a / Napoli / Londra / ?	Parte / Arriva / alle 15.00.
6 Scusi, è già arrivato il treno per Alassio?	Sì, è appena arrivato. No, è in ritardo di dieci minuti.
7 Da che binario parte il treno, per Genova?	Parte dal / binario numero 3. / primo binario.
8 Scusi, è / il binario n. 3 / la fermata per ... / la corriera per ... / ?	Sì! No, è quello/a (laggiù).
9 Dov'è / la fermata dell'autobus / la sala d'aspetto / l'ufficio informazioni / la biglietteria / il deposito bagagli / l'ufficio oggetti smarriti / il binario quattro / la carrozza ristorante / il vagone letto / ?	
10 Dove sono i gabinetti / ?	
11 Devo / Quando devo / cambiare treno?	(Deve cambiare) / alla prossima fermata. / a Savona.
12 (Può dirmi) / dove / quando / devo scendere?	Deve scendere al capolinea. Tra due fermate.
13 C'è subito la coincidenza per Firenze?	No, deve aspettare un'ora.
14 Scusi, / è libero quel posto? / c'è un posto libero?	Sì, è libero./No, è occupato. Sì, c'è./No, non c'è.
15 Vorrei / prenotare / un posto. / una cuccetta. l'orario dei treni. / una piantina della metropolitana.	

A / B

A	B
4 What time is the next train / coach for Rome?	It leaves at 4.30 pm
5 What time does it leave / get to Naples? / London?	It leaves / gets in at 3.00 pm
6 Excuse me, has the train for Alassio already arrived?	Yes, it's just arrived. No, it's ten minutes late.
7 Which platform does the train for Genoa leave from?	It leaves from platform 3. / platform 1.
8 Excuse me, is this platform 3 / the stop for... / the coach for... ?	Yes. No, it's that one over there.
9 Where is the bus stop / waiting room / information centre / ticket office / left luggage office / lost property office / platform 4 / the restaurant car / the sleeping car ?	
10 Where are the toilets?	
11 Do I have / When do I have to change trains?	(You have to change) at the next stop. / at Savona.
12 Can you tell me where / when to get off?	You have to get off at the end of the line. At the second stop.
13 Is there a connection for Florence straight away?	No, you have to wait an hour.
14 Excuse me, is that seat free? / is there a seat free?	Yes, it's free./No, it's taken. Yes, there is./No, there isn't.
15 I'd like to reserve a seat. / couchette. I'd like the train timetable. / a map of the underground.	

16 Ci sono riduzioni	per studenti comitive gruppi ?
17 Devo pagare il supplemento ...?	
18 Quanto costa un biglietto per Nizza?	
19 Per quanti giorni è valido il biglietto?	

TESSERINO TURISTICO GIORNALIERO

Tariffa lire **3.200**

Validità: Consente ai non residenti in Milano la libera circolazione, per la giornata di utilizzo, su tutta la rete urbana (con limitazione alle stazioni di Cascina Gobba e di Sesto Marelli, per la metropolitana).

Luogo d'acquisto: Uffici Abbonamenti ATM di via Ricasoli, 2; Metro Duomo e Centrale FS.

Documenti: Un documento d'identità

20 Torino-Limone-Ventimiglia

					2 a b	Expr	Dir 2	Expr	a fe	Expr 2	Dir				2
Torino P.N.	*p*				7 30	8 43	9 05	12 30	14 37	16 10	18 00	18 30	19 35	22 07	23 11
Fossano	*a*		4 55		8 29	9 20	10 01	13 11	15 27	16 51	18 51	19 33	20 54	23 04	0 24
Cuneo	*a*	5 24	5 19	7 23	8 51	9 38	10 20	13 35	15 52	17 13	19 17	19 57	21 33	23 35	0 49
Limone	*a*	6 04	6 30	7 59	9 23	10 11	11 04	14 41	16 58	18 11	19 56	20 48	22 35		
Ventimiglia	*a*	7 32		9 26		11 32	12 36	16 05	18 42	19 40	21 18				
		2	2				2	2		2	Expr		2		
Ventimiglia	*p*				6 18	8 24	9 35	11 35	13 13	16 14	17 22		19 51		
Limone	*p*		5 14	6 08	8 01	10 13	11 23	13 08	15 00	17 48	18 53	19 35	21 35		
Cuneo	*p*	3 56	6 20	6 50	8 53	10 48	12 12	13 56	16 00	18 25	19 32	20 19	22 09		
Fossano	*p*	4 52	6 48	7 19	9 19		12 38	14 22	16 25	18 58	19 58	20 42	22 29		
Torino P.N.	*a*	6 09	7 54	8 05	9 57		13 29	15 02	17 20	19 48	20 37	21 35	23 20		

a - Torino Lingotto;
b - da Torino Lingotto o Cuneo sospeso nei giorni festivi dall'8/12 al 2/4, da Cuneo a Limone si effettua nei giorni festivi;

16 Are there reductions for	students parties groups ?
17 Do I have to pay extra?	
18 How much is the ticket to Nice?	
19 How many days is the ticket valid for?	

FERROVIE DELLO STATO (The State Railway System)

☞ Gli uffici informazioni e prenotazioni delle principali stazioni ferroviarie sono aperti dalle 7-8 del mattino fino alle 20 e anche 23 della sera nelle città più importanti.

☞ I biglietti ferroviari possono essere acquistati anche presso le agenzie autorizzate.

☞ L'accesso ai marciapiedi di partenza dei treni è libero, salvo in alcune stazioni, quali ad esempio Roma, Torino e Milano, dove chi non ha il biglietto ferroviario è ammesso solo dietro pagamento di un biglietto di ingresso valido un'ora.

☞ Nelle stazioni principali, gli uffici informazioni delle Ferrovie possono cambiare la valuta in lire italiane.

☞ Il deposito bagagli è aperto 24 ore su 24 ore.

☞ Il servizio di portabagagli è svolto da personale con particolari contrassegni.

☞ Le prenotazioni (del posto a sedere o della cuccetta), generalmente, si effettuano sino dal sessantesimo giorno precedente la data di partenza.

☞ Su alcuni treni è necessaria la prenotazione obbligatoria.

☞ Alcuni biglietti particolarmente interessanti sono:

- **BIGLIETTO TURISTICO DI LIBERA CIRCOLAZIONE (BTLC)**: è un biglietto valido 8, 15, 21 e 30 giorni prorogabili che consente di viaggiare su tutta la rete ferroviaria italiana per un numero illimitato di viaggi.
- **BIGLIETTO CHILOMETRICO**: è un biglietto nominativo che può essere intestato sino a cinque persone; è valido due mesi e consente di viaggiare per un totale di 3.000 km, con un massimo di 20 viaggi complessivamente.
- **INTER-RAIL:** è una tessera di seconda classe che consente ai giovani al di sotto dei 26 anni di viaggiare a condizioni vantaggiose in tutta Europa.

L'ACCESSO AI MARCIAPIEDI, *access to train platforms*
SALVO, *except*
SERVIZIO DI PORTABAGAGLI, *porter service*
PARTICOLARI CONTRASSEGNI, *special badges*
SI EFFETTUANO SINO DA, *can be made as early as*
RETE FERROVIARIA, *railway network*
PROROGABILE, *can be extended*
TESSERA FERROVIARIA, *railway pass*

UFFICIO INFORMAZIONI

Match the signs and the words: 1f,...

a. UFFICIO POSTALE
b. UFFICIO CAMBI
c. DEPOSITO BAGAGLI
d. NON FUMATORI
e. PORTABAGAGLI
f. BIGLIETTERIA
g. GABINETTI
h. ACQUA NON POTABILE
i. PRENOTAZIONE POSTI LETTO
j. BARBIERE
k. RISTORANTE DI STAZIONE
l. ACQUA POTABILE
m. SALA D'ATTESA
n. TRASPORTO AUTO ACCOMPAGNATE
o. PRENOTAZIONI POSTI CUCCETTA
p. NAVI TRAGHETTO
q. PRENOTAZIONI POSTI A SEDERE
r. TELEFONI
s. NOLEGGIO AUTOVETTURE SENZA AUTISTA
t. SPEDIZIONE BAGAGLI
u. CARROZZELLE PER PERSONE IMPEDITE
v. BUFFET DI STAZIONE
w. UFFICIO TELEGRAFICO
x. OGGETTI RINVENUTI
y. CASSETTE AIUTOMATICHE CUSTODIA BAGAGLI

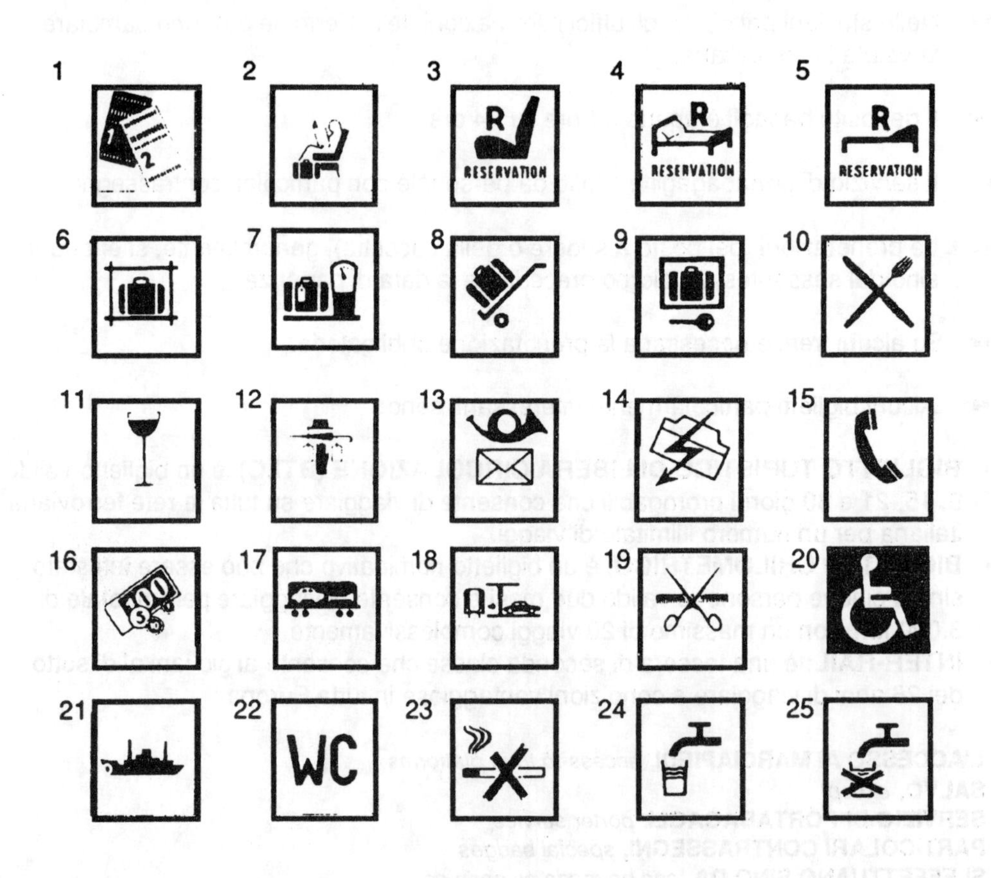

TRAVEL BY AIR OR SEA

How to...

L		R
☐	*Ask about times of departure and arrival.	☐
☐	*Inquire about the cost of a flight or crossing.	☐
☐	*Buy a ticket.	☐
☐	*Say where you would like to sit.	☐
☐	*Inform someone about your proposed times of arrival and departure.	☐
☐	*Check which is the right flight, ferry or hovercraft.	☐
☐	*Ask about the location of facilities.	☐
☐	*State whether you wish to declare anything at the customs.	☐

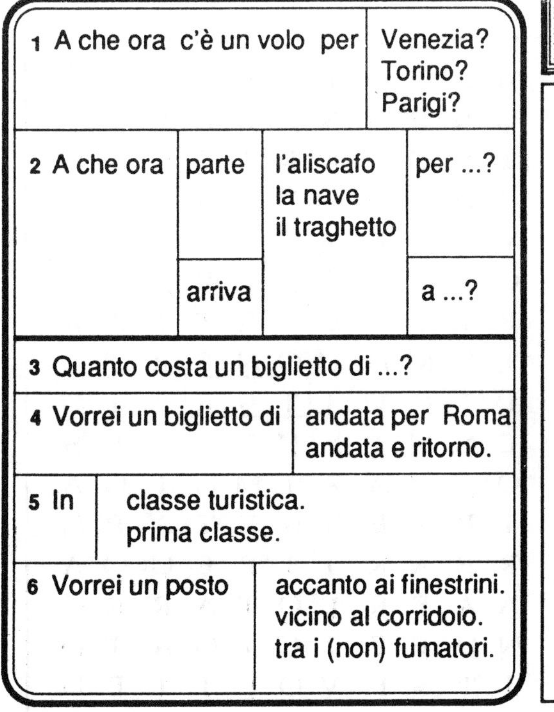

1 A che ora c'è un volo per			Venezia? Torino? Parigi?
2 A che ora	parte	l'aliscafo la nave il traghetto	per ...?
	arriva		a ...?
3 Quanto costa un biglietto di ...?			
4 Vorrei un biglietto di	andata per Roma andata e ritorno.		
5 In	classe turistica. prima classe.		
6 Vorrei un posto	accanto ai finestrini. vicino al corridoio. tra i (non) fumatori.		

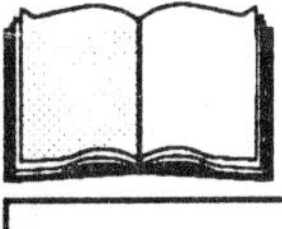

aliscafi

ORARIO 1990

ANZIO - PONZA

Dal 1° Aprile al 31 Maggio
Escluso MARTEDI e GIOVEDI

PARTENZE da ANZIO

08.05* 16.30**

PARTENZE da PONZA

09.40* 15.00*** 18.10

* Solo venerdì
** Solo venerdì e domenica
*** Solo domenica

1 What time is there a flight for	Venice Turin Paris	?	
2 What time does the	hydrofoil boat ferry	leave for..? arrive in...?	
How much is a ticket for...?			
4 I'd like a	single ticket to Rome. return ticket.		
5 In	tourist class. first class.		
6 I'd like a seat	next to the window. near the corridor. in a (non-)smoking compartment.		

WORDSEARCH

TRAVEL AND TRANSPORT

How many hidden words can you find?
Can you make the remaining letters into an Italian greeting?

_ _ _ _ _ _ _ _ _   _ _   _ _ _ _ _ _!

AEREO	NORD
AUTOBUS	OFFICINA
AUTOMOBILE	ORARIO
BENZINA	OVEST
BICICLETTA	PARTIRE
BINARIO	PATENTE
CURVA	RAPIDO
DIRETTO	SOSTA
DOGANA	SUD
EST	TARGA
MACCHINA	TRAM
METROPOLITANA	TRENO
MONETA	TURISTA
MOTOSCAFO	UFFICIO
MULTA	VIA
NAVE	

```
A U T O B U S B O E B
U N S O N O R D V E E
T N O T U R I S T A N
O O S T M P M A R T Z
M F T E A N A V E A I
O F A R C U R V A N N
B I C I C L E T T A A
I C M D H O N E R T D
L I O V I T S E L I U
E N N I N U T U I L S
O A E A A I M N I O A
I R T E T N E T A P N
R P A R T I R E G O A
A A E R E O T A R R G
N U F F I C I O A T O
I T S E V O L I T E D
B O F A C S O T O M A
```

A		
7 A che ora	partirai partirà partirete partiranno arriverai	?
8 Ha nulla da dichiarare?		
9 Soffre il mal di	mare aereo	?

B		
Partirò Partirà Partiremo Partiranno Arriverò	alle	sei. sette. otto. nove. dieci.
Non ho nulla da dichiarare.		

7 At what time	are you is he/she are you are they	leaving ?
	are you arriving?	
8 Have you anything to declare?		
9 Do you get	seasick? airsick?	

I am He/she is We're They're	leaving	at	six. seven. eight. nine. ten.
I'm arriving			
I've nothing to declare.			

PRIVATE TRANSPORT

How to ...

L		R
☐	Buy petrol by grade, volume or price.	☐
☐	Ask for the tank to be filled up.	☐
☐	Ask someone to check oil, water and tyres.	☐
☐	Ask where facilities are.	☐
☐	Ask about availability of amenities nearby.	☐
☐	Check your route.	☐
☐	*Obtain and give information about: routes, types of road, traffic regulations, parking facilities.	☐
☐	*Report a breakdown giving location and other relevant information.	☐
☐	Ask the cost.	☐
☐	*Ask for technical help.	☐
☐	*Pay and ask for a receipt.	☐

A

1	Mi controlli	l'olio, l'acqua, le gomme, la pressione delle gomme,	per favore.
2	(Vorrei)	30.000 lire di 20 litri di	benzina (senza piombo). super. normale. diesel.
3	(Mi faccia) il pieno, per favore.		

B

Desidera altro?

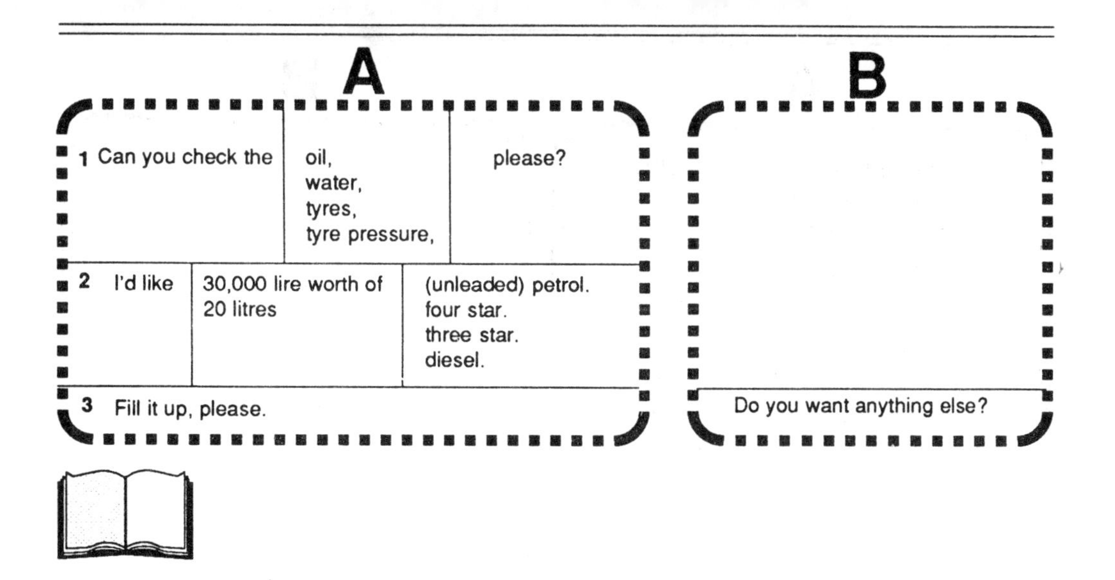

A

1 Can you check the	oil, water, tyres, tyre pressure,	please?
2 I'd like	30,000 lire worth of 20 litres	(unleaded) petrol. four star. three star. diesel.
3 Fill it up, please.		

B

Do you want anything else?

lavori in corso

ISTRUZIONI PER L'USO

GIORNI CRITICI I giorni di luglio con previsioni di traffico difficile verso Sud-est sono: 1, 8, 14, 15, 22, e 29; con traffico intenso sono: 7, 13, 16, 21, 28, 30 e 31. In direzione Nord e Ovest con traffico intenso: 1, 3, 10, 15, 17, 24, 28 e 29.

VELOCITÀ Dal 7 luglio sulle autostrade limite dei 110 chilometri all'ora. La velocità minima consigliata per chi viaggia sulla corsia di destra è di 80 all'ora

TIR Gli autocarri con peso totale superiore ai 50 quintali si fermano nei seguenti giorni:
Domenica 2, 9 e 16 luglio dalle ore 7 alle 24
Venerdì 21 luglio dalle ore 16 fino alle 24 di domenica 23
Venerdì 28 dalle 16 fino alle 24 di domenica 30 luglio

INFORMAZIONI Per avere notizie sul traffico lungo la rete della Società autostrade si può chiamare il Centro informazioni al numero: 06/43632121
Sul tratto Bologna-Firenze si possono avere notizie via radio sintonizzandosi sulla frequenza 103,3MHZ in FM

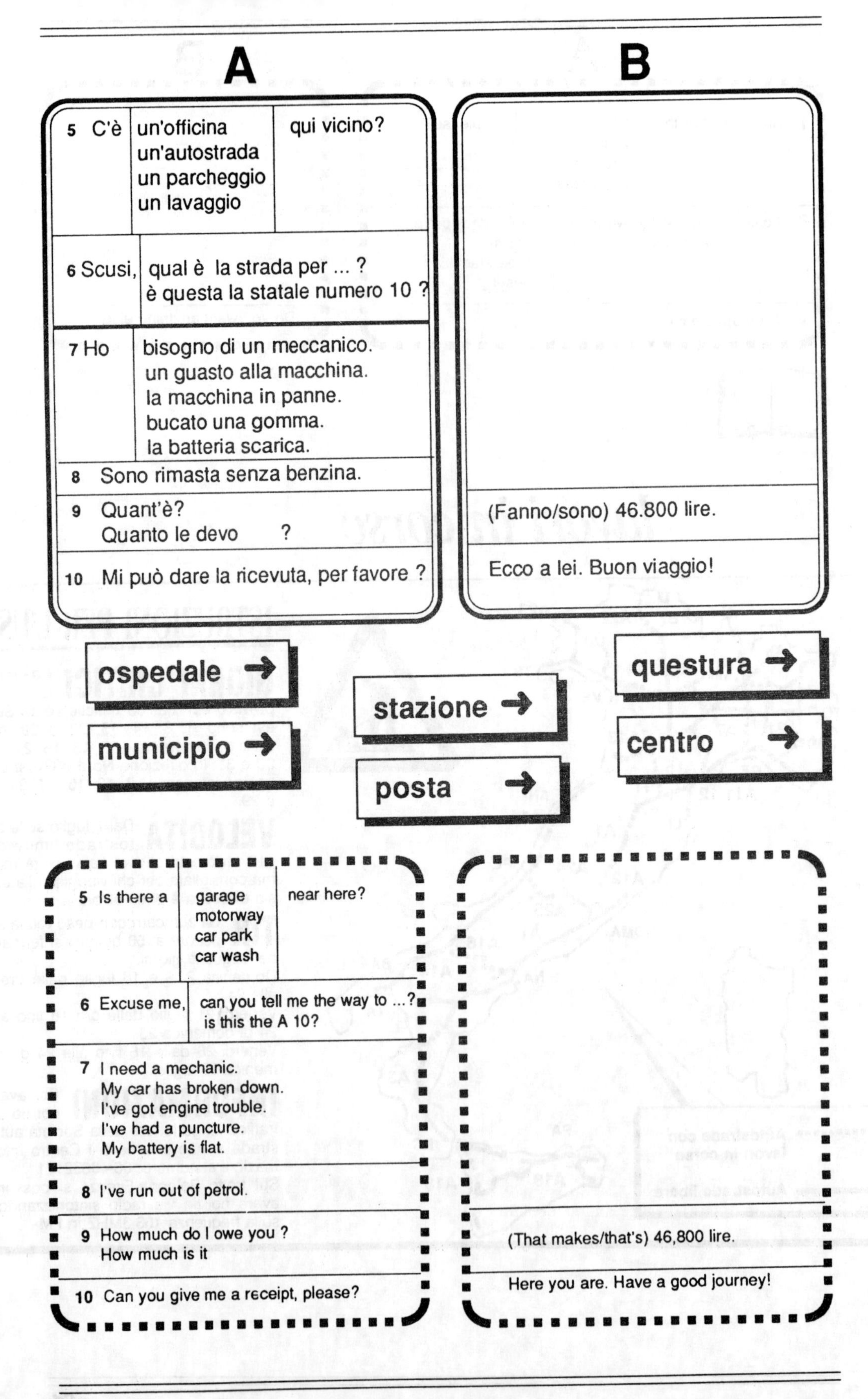
A
B
5 C'è
un'officina
un'autostrada
un parcheggio
un lavaggio
qui vicino?
6 Scusi,
qual è la strada per ... ?
è questa la statale numero 10 ?
7 Ho
bisogno di un meccanico.
un guasto alla macchina.
la macchina in panne.
bucato una gomma.
la batteria scarica.
8 Sono rimasta senza benzina.
9 Quant'è?
Quanto le devo ?
10 Mi può dare la ricevuta, per favore ?
(Fanno/sono) 46.800 lire.
Ecco a lei. Buon viaggio!
ospedale
municipio
stazione
posta
questura
centro
5 Is there a
garage
motorway
car park
car wash
near here?
6 Excuse me,
can you tell me the way to ...?
is this the A 10?
7 I need a mechanic.
My car has broken down.
I've got engine trouble.
I've had a puncture.
My battery is flat.
8 I've run out of petrol.
9 How much do I owe you ?
How much is it
10 Can you give me a receipt, please?
(That makes/that's) 46,800 lire.
Here you are. Have a good journey!

CENTRO INFORMAZIONI AUTOSTRADE

É il nuovo servizio della Società Autostrade del Gruppo IRI - Italstat, a disposizione degli automobilisti. Risponde al numero:

43632121

(06 per chi chiama da fuori Roma) e fornisce, anche in inglese, francese e tedesco, informazioni sulla viabilità autostradale, sugli itinerari, sulle tariffe di pedaggio, sulle tessere **VIACARD**, sulle condizioni del tempo e consigli per chi viaggia.
Funziona 24 ore su 24, festivi compresi.

Eventuali informazioni a carattere locale potranno essere richieste alle Direzioni Operative della Società:

Genova.............................. **010 - 41041**
Milano.............................. **02 - 35201**
Bologna.............................. **051 - 599111**
Firenze.............................. **055 - 42139**
Fiano Romano.............................. **0765 - 2591**
Cassino.............................. **0776 - 3081**
Pescara.............................. **085 - 95991**
Bari.............................. **080 - 465111**
Udine.............................. **0432 - 2741**

Durante il viaggio è possibile informarsi sulle condizioni del traffico anche presso i **"Puntoblu"**.

"VIAGGIA LIBERO"

NUOVA TARIFFA - A: CON INIZIO E TERMINE NELLA STESSA CITTÀ ✪

1 GIORNO - CHILOMETRAGGIO ILLIMITATO

GRUPPO		MARCA E MODELLO	PER GIORNO LIRE #
Piccola	A	PANDA 750 Nuova Serie PEUGEOT 205	**66.000**
	B	AUTOBIANCHI Y10 FIAT UNO	**75.000**
Media	C	FIAT TIPO FIAT RITMO	**87.000**
	D	FIAT REGATA ALFA ROMEO ALFA 33	**99.000**
	E1	ALFA ROMEO ALFA 75	**126.000**
	E2	LANCIA PRISMA ♫ ✻	**129.000**
Executive	F	BMW 320 i ♫ ✻	**135.000**
	G	ALFA ROMEO ALFA 164 2.0 I LANCIA THEMA 2.0 I ♫ ✻	**156.000**
Lusso *	J	ALFA ROMEO ALFA 164 3.0 ♫ ✻	**282.000**
Speciale (9 posti)	I	FIAT DUCATO BUS DIESEL FORD TRANSIT BUS DIESEL	**156.000**

✪ La tariffa **B**, con inizio e termine in città diverse, comprende 200 KM gratuiti. Ogni KM in più viene calcolato L. 330 (Gruppo A), L. 375 (Gruppo B), L. 435 (Gruppo C), L. 495 (Gruppo D), L. 630 (Gruppo E1), L. 645 (Gruppo E2), L. 675 (Gruppo F), L. 780 (Gruppi G/I), L. 1.410 (Gruppo J).

Ogni ora eccedente viene calcolata 1/3 della tariffa giornaliera. Per la tariffa **B**, l'ora eccedente comprende 66 KM gratuiti.

* Disponibile solo a Roma e Milano. IVA 38%.

♫ = Radio ✻ = Aria condizionata.

Le tariffe sovraesposte non sono applicabili in Sardegna, per noli che iniziano nelle Agenzie di Olbia e Alghero per il periodo 01-07/31-08.
Le condizioni generali di noleggio sono quelle in uso.

Tariffe non scontabili, né commissionabili. IVA e carburante esclusi.

treni-navetta

I «treni-navetta» sono composti da speciali carri sui quali i viaggiatori, pur restando a bordo della propria auto, possono attraversare in pochi minuti il valico alpino, così da evitare il lungo e faticoso percorso stradale montano. Sono effettuati fra:

— Iselle-Briga (Passo del Sempione)

PRIMA DI PARTIRE INFORMATEVI SULLE CONDIZIONI DEL TRAFFICO

WHAT'S THE TIME?

CHE ORA È ?

CHE ORE SONO?

È	mezzanotte (24.00) mezzogiorno (12.00) l'una (13.00)
Sono le	due (2.00) tre (3.00) quattro (4.00) cinque (5.00) sei (6.00) sette (7.00) otto (8.00) nove (9.00) dieci (10.00) undici (11.00) dodici (12.00) tredici (13.00) quattordici (14.00) quindici (15.00) sedici (16.00) diciassette (17.00) diciotto (18.00) diciannove (19.00) venti (20.00) ventuno (21.00) ventidue (22.00) ventitré (23.00) ventiquattro (24.00)

Sono le	due	e	cinque dieci quindici/un quarto venti trenta/mezzo trentacinque	(2.05) (2.10) (2.15) (2.20) (2.30) (2.35)
	tre	meno	venticinque venti quindici/un quarto cinque	(2.35) (2.40) (2.45) (2.55)

NOTES

- *To tell the time in colloquial Italian only the cardinal numbers from 1 to 12 are normally used. e.g. Faccio colazione alle sette e venti (7.20). Di solito ceniamo alle sette e venti (19.20). (I have breakfast at seven twenty) (We usually have supper at seven twenty)*
- *The cardinal numbers from 1 to 24 are used for timetables of trains, airlines, etc. e.g. Il treno per Pisa parte alle diciannove e venti (19.20). (The train to Pisa leaves at nineteen twenty)*
- *When mezzo follows the noun it is invariable; however the use of the feminine is becoming widespread. e.g. Sono le due e mezza.*
- *La mezza usually means the time 12.30 (or 0.30).*
- *Il tuo orologio è avanti/indietro di cinque minuti (Your watch is five minutes fast/slow).*
- *2.45 = sono le due e quarantacinque; sono le due e tre quarti; sono le tre meno quindici/un quarto; (manca) un quarto alle tre.*

ANSWER the following questions

Example: Che ore sono a Londra? Sono le undici.

Che ora è	a	Londra?
Che ore sono		Roma?
		New York?
		Sidney?
		Chicago?
		Tokio?
		Hong Kong?
		Mosca?
		Rio de Janeiro?
		Los Angeles?

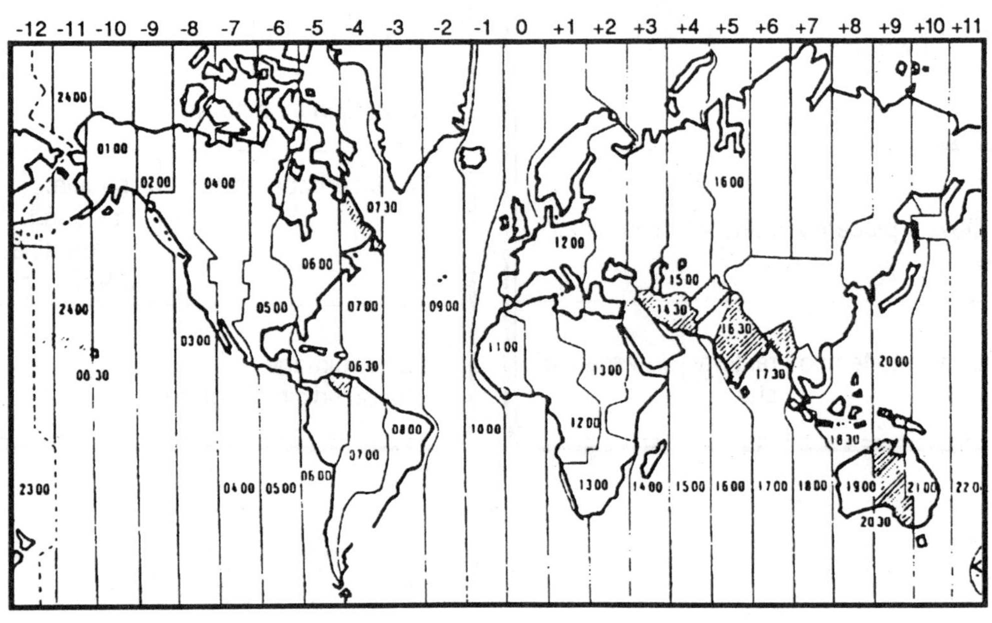

6. HOLIDAYS

HOLIDAYS (General)

How to ...

L		R
☐	Say and enquire about where you and others normally spend your holiday and how long they last.	☐
☐	Say how you spend your holidays and with whom.	☐
☐	Describe a previous holiday.	☐
☐	Describe your holiday plans.	☐
☐	Say whether you have been to Italy (and if so, give details).	☐

A

1 Dove	vai passi	di solito	in vacanza? le vacanze?
2 Dove	andrai andrà andrete andranno	quest'anno quest'estate	in vacanza?
3 Dove ti piacerebbe andare in vacanza?			
4 Per quanto tempo	resterai stai	in vacanza?	

B

Di solito Spesso Qualche volta	vado	in Italia. in montagna. in campagna. al mare. all'estero.
Andrò Andrà Andremo Andranno	a Firenze.	
Resterò in Inghilterra.		
Mi piacerebbe andare	in Italia. in Liguria. a Portofino. a Venezia.	
Due settimane. Una quindicina di giorni.		

A

1 Where do you usually	go on holiday ? spend your holidays?		
2 Where	are you is he/she are you are they	going on holiday this	year? summer?
3 Where would you like to go on holiday?			
4 How long will you	stay be	on holiday?	

B

Usually Often Sometimes	I go to	Italy. the mountains. the countryside. the seaside. abroad.
I'm He/she is We're They're	going to Florence.	
I'm staying in England.		
I'd like to go to	Italy. Liguria. Portofino. Venice.	
Two weeks. About a fortnight.		

La lettera del mese

LE NOSTRE VACANZE ECOLOGICHE

Fra poco tutti ce ne andremo in vacanza e mi pare sia giusto dopo un anno di lavoro e di studio, ma proprio adesso vorrei che la gente che si appresta a partire per il mare e per i monti pensasse seriamente a una cosa che reputo fondamentale: il rispetto della natura. Le vacanze potrebbero essere l'occasione giusta per darci tutti quanti una regolata, diciamo così, ecologica. Ai miei compagni di scuola (frequento il liceo linguistico a Padova) ho raccomandato di prepararsi ad affontare le prossime vacanze con questo proposito: ognuno di noi, nel suo piccolo, può fare qualche cosa, non gettare spazzatura in mare, nei laghi e nei fiumi, i prati sono fatti per correrci e per il pascolo degli animali; gli alberi, i fiori, tutto quello che è natura, vivono come viviamo noi e devono essere rispettati. Amici di Tutto Musica, credete che quello che ho scritto sia inutile, parole gettate al vento?

Daniele S. - Padova

Vacanze in fattoria

Una pausa tra i colori, i profumi, i sapori della natura.

L'**AGRITURISMO** è un invito all'aria pura, ai cibi genuini, al contatto diretto con la natura, con l'agricoltura, con l'artigianato. Una proposta originale per tutti i gusti, per i giovani, le famiglie, gli anziani, a tutti i livelli. Occasione unica per unire allo svago - passeggiate escursioni, gite a cavallo, pesca - a breve distanza da località di interesse artistico e culturale. Associati all'**AGRITURIST**, diventerai protagonista di queste **"Vacanze verdi"** e riceverai gratuitamente tutte le informazioni necessarie.

A

5 Che cosa fai di solito	in vacanza? durante le vacanze?
6 Con chi	passi le vacanze? andrai in vacanza ?

B

Faccio delle passeggiate. Pratico qualche sport.	
Vado	in discoteca. a sciare. al mare.
Con i miei	amici. genitori.

CERCHI UN COMPAGNO DI VIAGGIO?

Parti con me, c'è lo sconto. Mio zio ha un'agenzia di viaggi a Milano e potrebbe darci una mano con indirizzi utili, prenotazioni di alberghi e voli. La destinazione? Australia. Periodo: dal 15/6 in poi.

A Londra con impegno. Chi vuol venire con me per una vacanza studio di uno o più mesi?

Dappertutto con avventura. Vorrei amici per viaggi improvvisati, anche solo per un week-end. Per quest'estate: al mare in Italia.

Curiosando per il mondo. Mi piacerebbe visitare l'Egitto, ma vanno bene anche la Francia, l'America, l'Inghilterra, ecc. Sono libera tutta l'estate e cerco amici simpatici, instancabili e curiosi come me.

Ovunque ma in pochi. Massimo in 3 o 4, per conoscersi meglio. Sono adattabilissima, tenda o albergo va tutto bene. Amo i chiaccheroni. Periodo: agosto.

5 What do you usually do	on holiday ? during your holidays?
6 Who are	you spending your holidays with ? going on holiday with?

I go for walks. I do some sport.	
I go	to the discotheque. skiing. to the seaside.
(I'm going) with my	friends. parents.

HOW TO DESCRIBE A PREVIOUS HOLIDAY

1. Where did you go last year?
2. How did you go/travel?
3. With whom?
4. For how long?
5. Where did you stay?
6. What was the weather like?
7. Where did you go?
8. What did you do?
9. Did you enjoy yourself?

1. Sono andato/a in Italia.
2. In macchina.
3. Con i miei genitori.
4. Ci siamo fermati una settimana a Roma.
5. Siamo stati in un albergo.
6. Il tempo era bello e faceva caldo.
7. Abbiamo visitato molti musei.
8. Io sono andato/a spesso in discoteca.
9. Mi sono divertito/a moltissimo.

Following the model describe a previous holiday.

TOURIST INFORMATION

How to ...

L		R
☐	Ask for information about a town and region.	☐
☐	Ask for details of excursions, shows, places of interest (location, cost, time).	☐
☐	React to (i.e. welcome or reject) suggestions about activities and places of interest.	☐
☐	Write a short letter asking for information and brochures about a town, a region and its tourist facilities and attractions (see accommodation).	☐

A

1	Che cosa c'è di interessante da vedere in questa zona?		
2	Quali sono le principali attrattive di questa città?		
3	Organizzano Può consigliarmi	qualche giro turistico? delle escursioni? delle visite guidate?	
4	Quanto costa A che ora si parte per	l'escursione? (il tour) la gita?	
5	A che ora è previsto il ritorno?		
6	Potremmo Potresti	andare	al museo. al cinema. a teatro.

B

C'è	la cattedrale romanica. il museo. la passeggiata a mare.
Ci sono	molti itinerari turistici. molti monumenti storici.
Sì, è un'ottima idea.	
No,	sono stanco. non ne ho voglia. sono impegnato.

A		
1 What places of interest are there to see ... ?		
2 What are this city's main attractions?		
3 Do they organize Could you recommend	any	tourist itineraries? excursions? guided tours?
4 How much is the excursion ? What time does the tour leave?		
5 What time should we get back?		
6 We You	could go to	the museum. the cinema. the theatre.

B	
There's a	Romanic cathedral. museum. sea-front promenade.
There are a lot of	tourist itineraries. historical monuments.
Yes, that's a great idea.	
No,	I'm tired. I don't feel like it. I'm busy.

WORDSEARCH

HOLIDAYS

In Italy the 15th August is called by a name that also indicates the holiday period that precedes and follows this date.
Do you know how to spell it and what it means?

Key: _ _ _ _ _ _ _ _ _ _

ABBRONZATO
AFFITTARE
BAGNINO
CAMPEGGIO
COSTUME
ESTATE
FOTO
GUIDA
MARE
MONTAGNA
NEVE
OMBRELLONE
OPUSCOLO
SCIARE
SOLE
TURISTA
VACANZE

O	T	A	Z	N	O	R	B	B	A	F
L	E	E	R	A	T	T	I	F	F	A
O	M	B	R	E	L	L	O	N	E	M
C	A	M	P	E	G	G	I	O	O	T
S	O	L	E	E	R	A	M	N	S	U
U	E	S	T	A	T	E	T	I	C	R
P	F	O	T	O	R	A	R	N	I	I
O	A	D	I	U	G	A	G	G	A	S
O	E	V	E	N	M	S	T	A	R	T
V	A	C	A	N	Z	E	O	B	E	A

HOW TO WRITE A LETTER

Parts of the letter:

INFORMAL	FORMAL
1 Town, day month year	1 Town,day month year
2 Addressee	2 Addressee 3 (Address of person the letter is going to)
4 Introduction	4 Introduction
5 Main content	5 Main content
6 Ending	6 Ending
7 Signature	7 Signature 8 (Your Address)

MODEL

```
1                     Oxford, 15 marzo 19...
2    Cara Teresa,

4    come va? Tutto bene? Quest'estate
5    verrò finalmente in Italia.
     Non vedo l'ora!
     Verrò in macchina con
     i miei genitori.

     Mi potresti mandare l'indirizzo
     di un buon albergo e ...

6    Ciao,a presto.
7                          Janie
```

```
1         Oxford, 3 aprile 19...
2    All'A.P.T.
3    Via Mazzini,2a
     40100 Bologna

4    Sono una studentessa inglese.
5    Quest'estate vorrei visitare
     la vostra città.
     Vi sarei grata se mi poteste
     inviare le seguenti
     informazioni ...

6    Distinti saluti.
7                  Janie Cole
8                  3, Marsh Road,
                   Oxford, NW3
```

Note:
In business correspondence it is normal to include the address of the person to whom the letter is being sent.

THE ENVELOPE

a)

```
Sig. Biemonti Silvio
Via Cascione, 12
00151 ROMA
```

b)

```
Claudio Badano,Via Foce,3
40126 BOLOGNA
```

- The sender's address is usually put on the back of the envelope and can be written on one line.

  e.g. Claudio Badano - Via Foce, 3   40126 BOLOGNA
- The name is not preceded by a title.

c)

```
Sig.ra Maria Mesiano
Viale Principe, 24
43100 PARMA
ITALY
```

d)

```
Sig.na Corinni Lucia
Corso Monti, 134
18300 SAN REMO (Im)
```

- If the address is not a province, the name of the province must be given in brackets (Im = Imperia)

e)

```
Sig. Giuseppe De Luca
Via Margutta,28/3
00187 ROMA
```

- 28 is the number of the road, third floor.

f)

```
Prof.ssa Ginatta Anna
Via Manzoni, 7  2/1
30100 VENEZIA
```

- 7 is the number of the road, second floor, flat no.1

ABBREVIATIONS

Sig. = Signore *(Mr.)*, **Sig.ra** = Signora *(Mrs.)*, **Sig.na** = Signorina *(Miss)*, **Egr. Sig.** = Egregio Signore *(Dear Sir)*, **Gent. Sig.ra** = Gentile Signora *(Dear Mrs.)*, **A.P.T.** = Azienda di promozione turistica *(Tourist Promotion Board)*, **c/o** = presso *(care of)*, **C.A.P.** = Codice di Avviamento Postale *(the postcode)*
Dott. = Dottore *(Dr.)*, **Dott.ssa** = Dottoressa *(Dr.)*, **Ns.; n/** = Nostro *(our)*, **Mitt.** = Mittente *(Sender)*
Prof. = Professore *(Professor; Teacher)*, **Prof.ssa** = Professoressa *(Professor; Teacher)*
Prov. = provincia *(province, district)*, **Spett. Ditta** = Spettabile Ditta *(Messrs.)*, **V.;V/** = Vostro,Vostra *(your)*
Vs.;Vs/ =Vostra lettera *(Your letter)*

VOCABULARY

Via *(road;street)*, **Corso** *(main road)*, **Viale** *(Avenue)*, **Piazza** *(square)*

SOME SUGGESTIONS ABOUT THE DIFFERENT PARTS OF THE LETTER

	INFORMAL	FORMAL
1.	• Luogo, giorno, mese e anno.	• Luogo, giorno, mese e anno.
2.	• Caro/a/i/e..., • Carissimo/a ... ,	• A/Al/Alla/All'..., • Caro/a Signor/a ..., • Egregio Signor..., • Gentile Signore/a...,
3.		• Via ..., numero C.A.P. e luogo di destinazione
4.	• scusami se non ti ho scritto prima ... • come va?... • da molto non mi scrivi ...	• Sono/siamo ... • Il/La sottoscritto/a ... • Le/Vi comunico ... • Ho il piacere di ... • In risposta alla Sua lettera del ... • Con riferimento alla Sua del ...
5.	• Sono stato promosso ... • Perché non vieni a trovarci ... • Potresti farmi un favore?	• Le sarei grato se potesse inviarci ... • Vi saremmo grati se poteste prenotare... • Vi preghiamo di annullare ...
6.	• Ciao. • Saluta tutti da parte mia. Ciao. • Un bacio, a presto. • Tanti cari saluti (a tutti). • Un abbraccio. • Affettuosi saluti.	• Distinti saluti. • Cordiali saluti. • In attesa di Vs. notizie, porgo distinti saluti .
7.	• Nome	• Nome e cognome
8.	• (di solito si scrive sul retro della busta)	• Via ... , numero C.A.P. e luogo

	INFORMAL	FORMAL
1.	Place, day month year (e.g. Sutton, 23 gennaio 1990) • normally top right; place always followed by a comma; • months in Italian are written in small letters (you may find a capital letter in formal letters); • you write the first of the month like this 1° (e.g. Londra, 1° aprile 19...)	
2.	• Dear ...,	• To • Dear Mr./Mrs. • Dear Sir • Dear Mr./Mrs.
3.		• Road ..., number • Post code and town
4.	• sorry I haven't written for ages ... • how are things? • you haven't written for ages ...	• I am/we are ... • The undersigned ... • This is to inform you ... • In answer to your letter of ... • With reference to your letter of ...
5.	• I passed my exam ... • Why don't you come and see us ... • Could you do me a favour?	• I should be grateful if you could send us... • We would be grateful if you could book.. • Please could you cancel ...
6.	• Bye, bye • Say hello to everyone for me. • Love and kisses, see you soon. • Lots of love (to everyone). • A big hug. • Love.	• Yours faithfully/sincerely ... • Best regards/wishes (if you know the other person) • I Look forward to hearing from you. Yours faithfully.
7.	• Name	• Name, Surname
8.	• (Usually you write this on the back of the envelope)	• Road, number • Postal code and town

GREETINGS

Buon Natale! *(Happy Christmas!)*
Buon Anno! *(Happy New Year!)*
Felice anno nuovo! *(Happy New Year!)*
Buona Pasqua! *(Happy Easter!)*
Buone feste! *(Happy Holidays!)*
Buon compleanno! *(Happy Birthday!)*
Buon onomastico! *("Happy Saint's day")*
Con i migliori auguri! *(With all best wishes!)*

THANKS

- *Ti ringrazio per la lettera ...*
- *che ho ricevuto* | *questa mattina ...* / *ieri ...* / *il 15 giugno ...*
- *La ringrazio moltissimo per* | *le informazioni ...* / *lo splendido regalo ...* / *le fotografie ...* / *la Sua ospitalità ...* / *l'invito ...*

7. ACCOMMODATION

ACCOMMODATION (General)

How to ...

L		R
☐	Describe accommodation you use or have used (see topic 3).	☐
☐	Write a short letter inquiring about availability and price of accommodation at a hotel, camp-site or youth-hostel and about amenities available.	☐
☐	Write a short letter booking such accommodation.	☐

Bath, 15 aprile 19...

Spett.le Hotel Lombardi
Corso G. Mazzini, 29
71019 Vieste (FG)
Italia

Vorrei prenotare una camera doppia con bagno, dal 20 al 30 di luglio.
Vi sarei grato se mi poteste far sapere la disponibilità, il prezzo e se ci sono tariffe ridotte per bambini.
In attesa di Vostre notizie, porgo distinti saluti.

Vania Mills
5, Church Av.
Bath
Inghilterra

Varese, 17 agosto 19...

Spett.le Albergo Sole
Via Marina, 30
13490 Ancona

Vi prego di prenotarmi una camera singola con doccia, dal 3 al 10 settembre.
Gradirei, se possibile, una camera con vista sul mare.
Arriverò in macchina, probabilmente la sera tardi.
In attesa di una Vostra conferma, saluto distintamente.

Novella Gianni
Via Brenta, 18
15900 Varese
Tel. 07-697453

15th April, 19...

Spett.le Hotel Lombardi,
Corso G.Mazzini,29
71019 Vieste (FG)
Italy.

Dear Sir,

I should like to book a double room with bath from 20th to 30th July.
I should be grateful if you could let me know about the availability,
the cost and whether there are reductions for children.
I look forward to hearing from you.
Yours faithfully,

Vania Mills
5,Church Avenue,
Bath,
England.

17th August, 19...

Spett.le Albergo Sole,
Via Marina,30
13490 Ancona

Dear Sir,

Would you please reserve a single room with shower
from 3rd to 10th September.
I should like, if possible, a room with a view of the sea.
I will be arriving by car, probably late in the evening.
I await your confirmation.

Yours faithfully,

Gianni Novella
Via Brenta,18
15900 Varese
Tel.: 07 - 697453

INQUIRIES - some common patterns

Che cosa? Come? Quando? Per quanto tempo? Inoltre...

☞ Vi sarei grato se poteste inviarmi | informazioni / qualche opuscolo / alcuni dèpliants | su ...

☞ circa la possibilità di | prenotare una camera doppia con bagno ... / alloggiare in un buon albergo vicino a ... / un soggiorno in un albergo di prima categoria per due persone ...

☞ | nel mese di dicembre. / per il periodo di Natale. / verso la fine di agosto.

☞ | dal... al ... / per una settimana. / per una notte.

☞ Vorrei, / Desidererei, | inoltre, sapere | i prezzi e se ci sono riduzioni per bambini ... / se c'è un ristorante/una piscina/un campo da tennis ...

HOW TO MAKE COMPLAINTS

La doccia Il riscaldamento L'aria condizionata Il telefono	non funziona.

Questa camera è troppo rumorosa.
La camera è sporca.
Il servizio non è dei migliori.
La pulizia lascia molto a desiderare.
Il servizio e la pulizia delle camere sono molto scadenti.
Mi dispiace, ma non sono per niente soddisfatto ...
Mi spiace dover lamentare le cattive condizioni di... (very formal)

What? How? When? For how long? Also...

☞ I should be grateful if you could send me | information / some booklets / some leaflets | about ...

☞ about the possibility of | booking a double room with bathroom ... / staying in a good hotel near ... / staying in a first class hotel, for two people ...

☞ in (the month of) December.
for the Christmas period.
towards the end of August.

☞ from... to...
for one week.
for one night.

☞ Also, | I should like to know the prices and if there are reductions for children ...
if there is a restaurant/a swimming-pool/a tennis-court ...

HOW TO MAKE COMPLAINTS

The	shower heating air-conditioning telephone	is not working.

This room is too noisy.
The room is dirty.
The service is inadequate.
The standard of hygiene leaves a lot to be desired.
The room service and cleaning are very poor.
I am sorry, but I am not at all satisfied...
I am sorry to have to complain about the bad state...

HOTEL

How to ...

L		R
☐	Identify yourself.	☐
☐	Say that you have (not) made a reservation.	☐
☐	Ask if there are rooms available.	☐
☐	State when you require a room and for how long.	☐
☐	Say what sort of room is required.	☐
☐	Ask the cost per night, per person, per room.	☐
☐	Ask if meals are included.	☐
☐	Say it is too expensive.	☐
☐	Accept or reject a room.	☐
☐	Ask for your key.	☐
☐	Ask the times of meals.	☐
☐	Ask if there is a particular facility in or near the hotel.	☐
☐	Ask where facilities are.	☐
☐	Say you would like to pay.	☐

A

1	Buongiorno, sono il signor Guidotti.		
2	Ho prenotato una camera. Ho una camera prenotata. Non ho prenotato.		
3	Avete una camera	singola doppia	?
4			
5	Dal ... al ...		
6	Per	una notte. due settimane. tre giorni.	

B

Buongiorno, desidera?				
Per il momento è tutto esaurito. Se ne libera una alle dieci ...				
Per quanto tempo? Per quante notti?				
Con	bagno doccia	o senza	bagno doccia	?

A			B	
1 Good morning, I'm Mr. Guidotti.			Good morning. Can I help you?	
2 I booked a room. I have a room booked. I haven't booked.				
3 Do you have a	single double	room?	At the moment it's all full. One will be available at ten...	
4			For how long? For how many nights?	
5 From... to...			With or without	bathroom ? shower?
6 For	one night. two weeks. three days.			

WORDSEARCH

ACCOMMODATION

A tourist who does not speak very good Italian wishes to book a room in a hotel in San Remo. He can choose a room with either a view of the sea or one of the hills. Can you help the receptionist understand which one the tourist has chosen?

Key: _

ALBERGO
ARRIVARE
ASCENSORE
BAGAGLIO
BAGNO
BAR
CAMERA
CARO
CHIAVE
COLAZIONE
CONTO
COMODO
COMPLETO
DIRETTORE
DIREZIONE
DOCCIA
DOPPIA
ENTRATA
GABINETTI
LETTO
LIBERA
NOTTE
PAIO
PARTIRE
PASSAPORTO
PENSIONE
PICCOLA
PRENOTARE
RISTORANTE
SALA
SERVIZI
SINGOLA
SVEGLIA
USCITA
VALIGIA

```
C R A B D I R E Z I O N E A E
A E M N E P A R T I R E O R R
R R C O L A Z I O N E A T E O
E A A T C O G R E B L A N N S
B T R T O S V E G L I A O T N
I O O E N O N E V A I H C R E
L N E V G S P I C C O L A A C
B E T O A I U S C I T A G T S
A R N I B N I O S E T A A A A
G P A A A G D S U N L R B I A
A M R P C O M O D O A R I G I
G C O M P L E T O I R I N I P
L E T T O A A L A S E V E L P
I A S E R V I Z I N M A T A O
O D I R E T T O R E A R T V D
O T R O P A S S A P C E I R E
```

A	B
7 Con bagno. / doccia. / servizi.	Abbiamo una camera al primo / secondo piano.
8 C'è la televisione / l'aria condizionata / il telefono / il balcone ?	Sì, c'è ... / No, non c'è ...
9 Qual è il prezzo per una notte / persona / camera ?	... mila lire in alta / bassa stagione.
10 Quant'è la pensione completa / mezza pensione ?	
11 È compresa la prima colazione / Sono compresi i pasti ?	Sì, è tutto compreso. / No, non sono compresi nel prezzo.
12 È troppo cara. / È troppo rumorosa. / Non mi piace.	Desidera vedere un'altra camera?
13 Potrei vedere una camera .... più grande / ... meno costosa / ... al primo piano / ... con vista sul mare / ... sul davanti / ... sul retro ?	Sì, certamente.
14 Va bene, la prendo.	Ha un documento, per favore?
15 Ho il passaporto. / la carta d'identità. / la patente.	
16 Mi dia la chiave della (camera numero) 7.	
17 A che ora servite la prima colazione ? / il pranzo? / la cena?	Alle...
18 C'è un ristorante / parcheggio / negozio .... vicino all'albergo ?	

A B

A	B
7 With — bathroom. shower. private facilities.	We have a room on the — first second — floor.
8 Is there — a television set air-conditioning a telephone a balcony — ?	Yes, there is... No, there is no...
9 How much is it — for one — night person ? room	...thousand lire in — high low — season.
10 How much is it — for — full board? half board?	
11 Is breakfast Are meals — included?	Yes, it's all included. No, it's not included in the price.
12 It is too expensive. It is too noisy. do not like it.	Would you like to see another room?
13 Could I see a — bigger room less expensive room room — on the first floor with a view of the sea at the front at the back — ?	Yes, certainly.
14 All right, I'll take it.	Do you have any identification, please?
15 I have my — passport. identity card. driving licence.	
16 Could you give me the key to (room no.)7?	
17 At what time is — breakfast lunch dinner — served?	At ...
18 Is there — a restaurant car park shop... — near the hotel?	

A	B
19 Dov'è il bar / l'ascensore / il ristorante / la piscina / la spiaggia / il campo da tennis / il giardino ?	Sul retro. Vicino all'entrata, a destra.
20 Dove posso lasciare la macchina?	Nel piazzale, davanti all'albergo.
21 Vorrei il conto, per favore. Potrebbe prepararmi il conto, per favore.	Ecco a Lei, grazie.
22 Potrei / Potremmo avere la prima colazione in camera?	Sì, naturalmente!
23 Potrebbe svegliarmi alle 6.30 ?	Certo, signore!
24 Desidero non essere disturbato prima delle dieci.	
25 C'è qualche messaggio per me? Mi ha telefonato qualcuno?	Sì, ha telefonato il signor Rossi richiamerà più tardi.
26 C'è posta per me?	Sì, queste lettere.
27 Per favore, potrebbe chiamarmi un taxi?	Sarà qui tra cinque minuti.

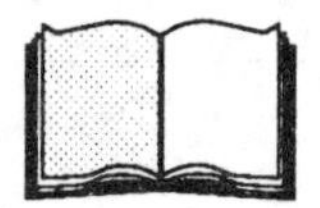

Hotel Santa Marta - categ. 1 stella

Situato in zona centrale a 150 m. dalla spiaggia. Tutte camere con doccia e servizi. I pasti vengono consumati presso l'Hotel Velamar (gestito dallo stesso proprietario) situato di fronte al S. Marta. Inoltre l'Hotel Velamar mette gratuitamente a disposizione dei clienti la piscina e tutti i servizi dell'albergo.

Periodi

A	**3/5 - 31/5**	**27/9 - Ottobre**
B	**31/5 - 21/6**	**13/9 - 27/9**
C	**21/6 - 12/7**	**16/8 - 13/9**
D	**12/7 - 16/8**	

ALBERGO ELVIRA

TEL. 0541/372032

Moderno, pochi passi dal mare, camere con servizi, telefono, balcone. Gestione familiare, cucina casalinga, bar. Maggio, Giugno, Settembre L. 26.000, Luglio e 21-31 Agosto L. 30.000, dal 1 al 20 Agosto L. 41.000 complessive.

A	B
19 Where is the bar / lift / restaurant / swimming-pool / beach / tennis-court / garden ?	At the back. Near the entrance, on the right.
20 Where can I leave the car?	In the parking area, in front of the hotel.
21 I should like the bill, please. Could you prepare the bill, please?	Here you are, thank you.
22 Could I have breakfast in my room? / we have breakfast in our room?	Certainly, Sir!
23 Could you wake me at 6,30 ?	Yes Sir!
24 I do not wish to be disturbed before ten.	
25 Are there any messages for me? Has anyone phoned for me?	Yes, Mr. Rossi phoned; he will phone again later.
26 Is there any mail for me?	Yes, these letters.
27 Could you call me a taxi, please?	It will be here in five minutes.

COMMON WORDS IN ACCOMMODATION

ACQUA POTABILE	*drinking water*
AZIENDA DI SOGGIORNO	*Tourist Board*
BIANCHERIA	*linen*
CATEGORIA DI LUSSO	*de luxe category*
CAPARRA	*deposit*
CASSAFORTE	*safe*
COSTA DI SABBIA/GHIAIA/SCOGLIO	*sandy/pebbly/rocky beach*
DIVIETO DI CAMPEGGIO	*no camping*
FUORI SERVIZIO	*out of order*
I.V.A	*V.A.T.*
LOCANDA	*inn*
MEZZA PENSIONE	*half board*
OSTELLO DELLA GIOVENTÙ	*youth hostel*
PARCHEGGIO CUSTODITO	*attended car-park*
PENSIONE COMPLETA	*full board*
PERMESSO DI SOGGIORNO	*residence permit*
PRIMA CATEGORIA	*first category*
SPIAGGIA PRIVATA	*private beach*
SPIAGGIA LIBERA/PUBBLICA	*public beach*
STAZIONE BALNEARE	*seaside resort*
STAZIONE TERMALE	*spa*
STOVIGLIE	*crockery*
TASSA/IMPOSTA DI SOGGIORNO	*visitor's tax*
TUTTO COMPRESO	*all included*
USCITA DI SICUREZZA	*emergency exit*
VIETATO CAMPEGGIARE	*no camping*
VIETATO L'INGRESSO	*no admittance*
VIETATO IL PARCHEGGIO	*no parking*
VITTO E ALLOGGIO	*board and lodging*

LE PRENOTAZIONI HANNO VALORE SOLO SE EFFETTUATE E CONFERMATE PER ISCRITTO.
(Reservations are valid only if they are made and confirmed in writing)

YOUTH HOSTEL (see also Hotel)

How to ...

L		R
☐	Ask if there is any room.	☐
☐	State when and for how long.	☐
☐	State how many men and women require accommodation.	☐
☐	Say you have (not) reserved.	☐
☐	Identify yourself.	☐
☐	Ask the cost per person or night.	☐
☐	Ask if there is a particular facility in or near the hostel.	☐
☐	Ask where facilities are.	☐
☐	Say you would like to pay.	☐
☐	Inquire about meal times and opening and closing times.	☐
☐	*Inquire about rules and regulations.	☐
☐	*Say you have a sleeping bag or want to hire one.	☐

CAMPING

L		R
☐	Ask if there is any room.	☐
☐	State when and for how long.	☐
☐	Say you have (not) reserved.	☐
☐	Identify yourself.	☐
☐	Say how many tents, caravans, people or vehicles it is for.	☐
☐	Say how many children and adults are in the group.	☐
☐	Ask the cost per person, night, caravan or vehicle.	☐
☐	Say it is too expensive.	☐
☐	Ask if there is a particular facility on or near the site.	☐
☐	Buy essential supplies.	☐
☐	*Inquire about rules and regulations.	☐

A

1			
2 Qual è il prezzo per	persona la tenda la roulotte per l'auto	?	
3 È (un po') troppo caro per noi. Va bene...			
4 C'è Avete	posto per	una tenda ? una roulotte?	
5 Siamo	due ragazze. due ragazzi. in quattro. due adulti e un bambino.		
6 Dove sono	le toilettes. le docce.	?	
7 Dov'è	la pattumiera una presa elettrica lo spaccio la piazzuola n. 5	?	
8 C'è	un negozio di alimentari un ristorante una sala giochi un campeggio un ostello della gioventù	qui vicino?	
9 Posso Possiamo	avere un copia del regolamento? avere un posto all'ombra? cucinare...? lavare...? noleggiare una tenda? noleggiare un sacco a pelo?		

B

Dicano, signori ?
La tariffa per ... è...
Per quante persone ?

Tariffe Giornaliere Del Campeggio	Giugno/ Settembre	Luglio/ Agosto
Adulti	**2.600**	**4.500**
Bambini 2/10 anni	**2.350**	**4.000**
Tenda/caravan/camper	**2.600**	**3.800**
Presa corrente	**1.100**	**1.100**
Auto	**1.300**	**1.300**
Moto	**1.000**	**1.000**

A

1

2 What is the charge per | person / tent / caravan / car | ?

3 It is a bit too dear for us
All right...

4 Is there / Do you have | space for a | tent ? / caravan?

5 We are two girls.
We are two boys.
There are four of us.
We are two adults and a child.

6 Where are the | toilets ? / showers?

7 Where is | the dust-bin ? / a socket? / a shop? / camping space n.5?

8 Is there | a grocer / a restaurant / an amusement arcade / a camping site / a youth hostel | near here?

9 Can I / Can we | have a copy of the regulations? / have a place in the shade? / cook...? / wash...? / hire a tent? / hire a sleeping-bag?

B

Can I help you?

The charge per...is...

For how many people?

8. FOOD AND DRINK (General)

How to ...

L		R
☐	Discuss your likes, dislikes and preferences and those of others.	☐
☐	Discuss your typical meals, meal times, and eating habits.	☐
☐	Buy food and drink.	☐
☐	*Describe a dish, or what it contains, to a visitor.	☐

A	B
1 Ti piace la cucina italiana?	Sì, mi piace molto. No, preferisco quella greca.
2 Che cosa preferisci mangiare? Qual è il tuo piatto preferito?	La pizza margherita. / napoletana. / ai funghi. Il minestrone. Il pollo alla diavola. Le trenette al pesto Le cozze alla marinara. I ravioli. I calamaretti ripieni.
3 La / Lo / Le / Li mangi spesso ?	
4 Che cosa mangi di solito a ...?	Di solito mangio la pasta e ...
5 A che ora fai colazione / merenda ? A che ora pranzi / ceni ?	Alle ...
6 Dove fai colazione, di solito?	A casa, con i miei genitori. Non faccio mai colazione. Al bar.

A	B
1 Do you like Italian cooking?	Yes, I like it very much. No, I prefer Greek cooking.
2 What do you prefer to eat? Which is your favourite dish?	'Pizza with tomatoes and mozzarella'. Neapolitan Pizza. Pizza with mushrooms.
	Vegetable soup. Barbecued/grilled chicken. Small flat noodles with 'pesto' sauce. Mussels 'Marinara'. Ravioli. Stuffed squid.
3 Do you eat it / them often?	
4 What do you usually eat at...?	I usually eat pasta and...
5 At what time do you have breakfast ? / afternoon tea? / lunch? / supper?	At...
6 Where do you usually have breakfast?	At home with my parents. I usually don't have breakfast. At the Cafè.

IL PESTO

Ingredienti:

Un mazzetto di basilico fresco
30 g di parmigiano grattugiato.
30 g di pecorino grattugiato
2 spicchi d'aglio
1 cucchiaio di pinoli
olio d'oliva

- Pestare in un mortaio (o frullare) le foglie di basilico fresco, l'aglio, i pinoli e i formaggi.
- Sciogliere il tutto con olio sufficiente per formare una pasta densa e cremosa.

PEPERONATA

Ingredienti:

600g di peperoni rossi, verdi e gialli
5 pomodori
una cipolla
uno spicchio d'aglio
olio
sale

- Fare soffriggere con olio una cipolla tagliata a fettine e l'aglio.
- Aggiungere i peperoni tagliati a fette (senza i semi) e salare.
- Quando i peperoni saranno quasi cotti, aggiungere i pomodori tagliati a pezzi.
- Servire calda o fredda.

A

7 Che cosa mangi a colazione?

8 Dove mangi di solito, a mezzogiorno?

B

Prendo un cappuccino e una brioche
Mangio uova con la pancetta.

A scuola.
Alla mensa.
A casa.
Al ristorante.

SPIEDINI DI FUNGHETTI

Ingredienti (per 6 persone):

700 g di champignons
400 g di piccoli pomodori maturi
1 spicchio d'aglio
prezzemolo tritato
olio, sale, pepe

- tagliare i pomodori a rotella, togliere i semi e
- metterli a marinare per mezz'ora nell'olio, l'aglio a pezzetti, il prezzemolo tritato, il sale e il pepe.
- formare degli spiedini con i funghi e i pomodori.
- Ungere gli spiedini con la marinata.
- Grigliare a fuoco medio vivo per 10 minuti circa.

(al posto dei pomodori si possono usare quadretti di peperoni o melanzane)

SPAGHETTI ALL'AGLIO OLIO E PEPERONCINO

Ingredienti (per 4 persone):

400 g di spaghetti
2 spicchi d'aglio
un peperoncino rosso
4 cucchiai d'olio d'oliva
sale

- Cuocere gli spaghetti al dente
- fare rosolare l'aglio e il peperoncino a pezzi in tre cucchiai d'olio
- condire gli spaghetti
- aggiungere un cucchiaio d'olio e servire.

7 What do you eat for breakfast?

8 Where do you usually have lunch?

I have a cappuccino and a 'brioche'.
I eat bacon and eggs.

At school.
At the canteen.
At home.
At the restaurant.

RICETTE (Recipes)

Come si fa ...?
Quali sono gli ingredienti ...?
Che cos'è ...?

COMMON WORDS IN RECIPES

ABBRUSTOLIRE	*to toast, to roast*
AFFETTARE	*to slice, to cut*
AGGIUNGERE	*to add*
AROMI	*herbs*
ARROSTO	*roast*
BOLLIRE	*to boil*
CASSERUOLA	*saucepan*
CONDIRE	*to dress, to add the sauce to*
CUOCERE	*to cook*
CUOCERE AL FORNO	*to bake*
CUOCERE IN UMIDO	*to stew*
CUOCERE A BAGNOMARIA	*to steam*
CUOCERE AI FERRI	*to grill*
FARCIRE	*to stuff*
FRIGGERE	*to fry*
FRULLARE	*to whisk, to whip*
GRATINARE	*to cook 'au gratin'*
GRATTUGIARE	*to grate*
IMPASTARE	*to knead*
INFARINARE	*to flour*
LESSARE	*to boil, to stew*
LIEVITARE	*to rise*
MESCOLARE	*to mix, to stir*
MESTOLO	*ladle*
METTERE	*to put*
PANE GRATTUGIATO	*breadcrumb*
PELARE	*to peel*
RIPIENO	*stuffing*
ROSOLARE	*to brown*
SALTARE	*to sautè*
SBATTERE	*to beat, to whip*
SBOLLENTARE	*to parboil*
SBUCCIARE	*to peel, to shell*
SOFFRIGGERE	*to fry lightly*
SPREMERE	*to squeeze*
TAGLIARE	*to cut*
TEGAME	*'frying' pan*
TEGLIA	*'baking/roasting' tin*
TERRINA	*tureen, bowl*
TRITARE	*to mince, to chop*
UNGERE	*to grease*

CAFÈ, RESTAURANT AND OTHER PUBLIC PLACES

How to ...

L		R
☐	Say how many there are in the group.	☐
☐	Ask for a table (for a certain number).	☐
☐	Attract the waiter's attention.	☐
☐	Order a drink or a snack.	☐
☐	Order a meal.	☐
☐	Ask for a particular fixed-price menu.	☐
☐	Ask for an explanation or description of something on the menu.	☐
☐	Accept or reject suggestions.	☐
☐	Ask about the availability of dishes and drinks.	☐
☐	Express an opinion about a meal or dish.	☐
☐	Ask if the service charge is included.	☐
☐	Ask about availability and location of facilities.	☐

A		B
1 Pronto, ristorante "Noce"?		Sì, dica!
2 Vorrei (prenotare) un tavolo per	due. cinque.	Per che ora?
3 Per le otto.		Va bene; qual è il Suo nome?
4 Cameriere/a!		Prego, (cosa) desidera?

A		B
1 Hello, is that ristorante Noce?		Yes, what can I do for you?
2 I'd like (to book) a table for	two (people). five.	For what time?
3. For eight o'clock.		Fine, what's your name?
4 Waiter/Waitress!		Yes, what would you like?

TRATTORIA
PIZZERIA
Gelateria

	A		B
5	Vorrei	un caffè. un cappuccino. un tramezzino. un panino al formaggio. un cornetto. un'aranciata. una bibita. una focaccia. una pizzetta. vedere il menù (turistico).	Subito, signore/a!
6	Come antipasto vorrei	dei sottaceti. del prosciutto e melone. dell'insalata russa.	Bene, e come primo piatto?
7	Come primo vorrei	delle tagliatelle al pomodoro delle penne all'arrabbiata. degli spaghetti alla carbonara.	E da bere (cosa desidera)?
8	Da bere vorrei	un'aranciata. una bottiglia di vino rosso/bianco. il vino della casa. dell'acqua minerale (naturale/gassata).	
9	Di secondo che cosa	mi consiglia? avete?	Le consiglio il piatto del giorno. questo piatto. la frittura di pesce. la parmigiana.
10	Che cos'è	la parmigiana? questo?	È...
11	Va bene, prendo Grazie, ma preferisco	questo, con contorno di insalata mista. patatine fritte. verdure cotte. pomodori.	
12	Avete	del dolce del dessert del gelato del formaggio della frutta fresca ?	Ci dispiace, l'abbiamo finito/a. Glielo/la porto subito.

A	B
5 I'd like — a coffee. a cappuccino. a 'sandwich'. a cheese roll. a 'croissant'. an orangeade. a soft drink. a 'focaccia'. a small pizza. to see the menu (the fixed-price menu).	Right away, Madam/Sir!
6 For hors-d'oeuvres I'd like — some pickles. ham and melon. Russian salad.	And what would you like as first course?
7 For first course I'd like (some) — tagliatelle with tomato sauce. penne, tomatoes,garlic,bacon,chilli. spaghetti, bacon,eggs,fresh cream.	And what would you like to drink?
8 I'd like — an orangeade. a bottle of red/white wine. the house wine. some fizzy/natural mineral water.	
9 For the second course what do you — recommend? have?	I recommend — the dish of the day. this dish. the fried fish. aubergines in cheese and tomato sauce.
10 What's — the 'parmigiana' ? this?	It is....
11 All right, I'll have Thanks, but I prefer — this with mixed salad. French fries. cooked vegetables. tomatoes.	
12 Do you have — some sweet/cake a dessert (some) ice-cream (some) cheese (some) fresh fruit — ?	I'm sorry, it's finished. I'll bring it at once.

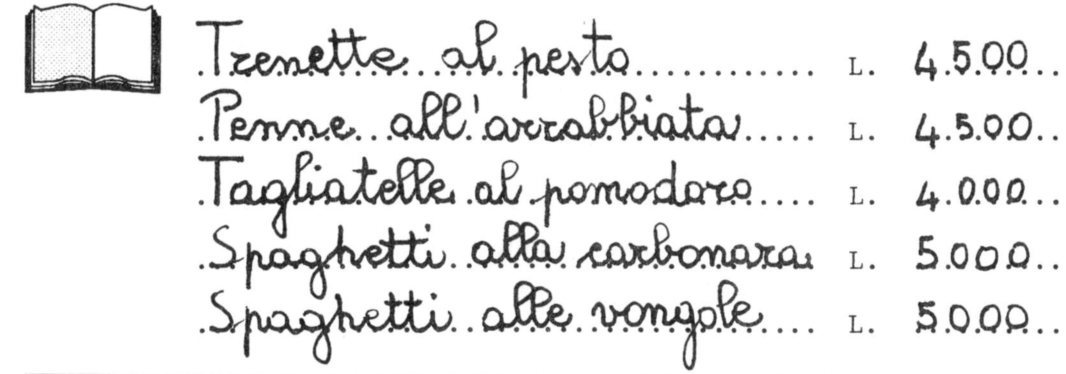

A				B	
13	Dov'è	il telefono la toilette	?	In	cima alle scale. fondo a sinistra.
14	È tutto molto buono. È buonissimo.				
15	Questo piatto del giorno è		ottimo. squisito. eccellente.		
16	La minestra è salata/insipida. La carne è troppo cotta/cruda. La pizza è bruciata. Il piatto/bicchiere è sporco. Il caffè è troppo lungo/freddo.			Mi dispiace,	provvedo immediatamente. gliene porto un'altra. gliene porto un altro.
17	Mi porta il conto, per favore?			Subito, signore.	
18	Il servizio è incluso?			Sì, è tutto compreso. No, il servizio è a parte.	
19	Tenga pure il resto. Questo è per Lei.				
20	Mi porta	un altro po' di pane, l'oliera, il sale, il pepe, gli stuzzicadenti,	per favore?		

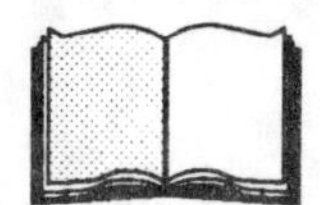

Caffè	Lit.	1.500
Cappuccino	»	1.800
Latte (al bicchiere)	»	1.500
The - Camomilla	»	1.800
Caffè con panna (with cream)	»	2.000
Cioccolata	»	2.500
Cioccolata con panna	»	3.000
Vino (al bicchiere)	»	2.000
Bibite	»	3.000

	A		B	
13	Where is the	telephone? toilet?	At the	top of the stairs. end, on the left.
14	It's	all very nice. very nice.		
15	The dish of the day is	very nice. delicious. excellent.		
16	The soup is too salty/needs more salt. The meat is over-cooked/underdone. The pizza is burnt. The plate/glass is dirty. The coffee is too weak/cold.		I'm sorry	I'll see to it immediately. I'll bring you another.
17	Can I have the bill, please?		Right away, Sir.	
18	Is service included?		Yes, everything is included. No, service is not included.	
19	You can keep the change. This is for you.			
20	Could you please bring me	some bread? the cruets? the salt? the pepper? the tooth-picks?		

How to ...

L		R
☐	Express hunger and thirst.	☐
☐	Ask about time and place of meals.	☐
☐	Ask for food and table articles (including asking for more, a little, a lot).	☐
☐	React to offers of food (accept, decline, apologize, express pleasure).	☐
☐	Express appreciation and pay compliments.	☐
☐	Respond to the toast, "Salute!"	☐

A	B
1 Ho fame! / sete!	
2 C'è qualcosa da mangiare / bere ?	
3 A che ora si pranza / mangiamo ?	Alle...
4 Dove mangiamo?	Oggi mangiamo in giardino. / fuori. / sul terrazzo. / sulla spiaggia.
5 Mi passi il sale / il pepe / l'olio / l'aceto / gli spaghetti / gli antipasti ?	
6 Vuoi ancora un po' di...? Ne vuoi ancora?	No, grazie, oggi non ho molta fame! / sono sazio/a! / sono a dieta!

A

1 I'm hungry! I'm thirsty!	
2 Is there anything	to eat? to drink?
3 At what time are we going to eat? At what time are we going to have lunch?	
4 Where are we going to eat?	
5 Could you pass	the salt? the pepper? the oil? the vinegar? the spaghetti? the hors d'oeuvres?
6 Would you like	a bit more...? some more?

B

Today we'll eat	in the garden. outside. on the terrace. on the beach.
No thanks, I'm	not hungry today! full! on a diet!

A		B
7 C'è ancora	della pasta ? dell' insalata? del succo di frutta?	Chi ne vuole dell'altra/o?
8 Continuerei a mangiare! Ne mangerei un altro piatto! Il pranzo è stato eccellente!		
9 Sei un' ottima cuoca! Sei un ottimo cuoco!		
10 Salute! Facciamo un brindisi a ... Alla tua!		(Alla) Salute! Cin, cin! Prosit!
11 A tavola!		
12 Buon appetito!		Altrettanto! Buon appetito!
13 Mi sento pieno!		

A		B
7 Is there any more	pasta? salad? fruit juice?	Who would like more ....?
8 I'd carry on eating. I could eat another plateful. Lunch was superb.		
9 You are an excellent cook!		
10 Cheers! Let's toast... To your health!		Cheers!
11 Dinner's ready!		
12 Enjoy your meal!		You too! Enjoy your meal!
13 I feel full up.		

WORDSEACH

You have found a part-time job in a greengrocer's shop in Florence.

- Can you find what a customer asks you for.
- A customer tells you a proverb that you will certainly know in English as well.
- Can you find it by using the remaining letters?

Key: _ _ _   _ _ _ _   _ _   _ _ _ _ _ _   _ _ _ _   _ _
_ _ _ _ _ _   _ _   _ _ _ _ _

Vorrei

dell'	AGLIO
delle	ALBICOCCHE
un	ANANAS
un'	ANGURIA
delle	ARANCE
delle	BANANE
del	BASILICO
delle	BIETOLE
dei	BROCCOLI
dei	CARCIOFI
delle	CAROTE
delle	CASTAGNE
dei	CAVOLFIORI
dei	CAVOLI
delle	CILIEGE
delle	CIPOLLE
dei	FAGIOLI
dei	FICHI
delle	FRAGOLE
della	FRUTTA
dell'	INSALATA
dei	LAMPONI
dei	LIMONI
dei	MANDARINI
delle	MELANZANE
delle	MELE
un	MELONE
della	MENTA
delle	MORE
delle	NOCCIOLE
delle	NOCI
delle	OLIVE
delle	PATATE
dei	PEPERONI
delle	PERE
delle	PESCHE
dei	PISELLI
dei	POMODORI
dei	POMPELMI
delle	PRUGNE
della	SALVIA
del	SEDANO
degli	SPINACI
dell'	UVA
della	VERDURA
degli	ZUCCHINI

```
F I C H I U A T N E M N M O R E
A M E N G U R P E E T O R A C E
L I A L B I C O C C H E A V C N
S R P O M P E L M I C N A E A G
E O I O E E A A L L I A T R R A
D I S S M H L V G I P Z A D C T
A F E I A O C O U E O N L U I S
N L L M O N D S N G L A A R O A
O O L E F R A O E E L L S A F C
C V I L P R N N R P E E N E I P
I A O E C N A R A I L M I L N E
L C R A I R U G N A E V O O O P
I E A N O C C I O L E I L T P E
S I N I H C C U Z L G C I E M R
A F R U T T A I L A E O V I A O
B M A G L I O E F D I N E B L N
C S A L V I A I L O C C O R B I
M A N D A R I N I O E N A N A B
D P A T A T E I T C A V O L I O
R S P I N A C I N I N O M I L O
```

9. SHOPPING

How to ...

L		R
☐	Find out about opening and closing times.	☐
☐	Ask for information about supermarkets, shopping centres, markets, shops.	☐
☐	Ask where specific shops and departments are.	☐
☐	Ask where particular goods are available.	☐
☐	Express quantity required (including expressions of weight, volume, container).	☐
☐	Ask for particular items (with, if appropriate, a brief description).	☐
☐	Find out how much things cost.	☐
☐	Say an item is (not) satisfactory or too expensive, small, big, etc.	☐
☐	Say whether you have enough money.	☐
☐	Understand Italian money, including hand-written and printed prices.	☐
☐	Say you will (or will not) take, or would prefer, something else.	☐
☐	Say that is all you require.	☐
☐	Pay for items.	☐
☐	Thank (the shop assistant).	☐

A

1 A che ora | aprono / chiudono | i negozi di abbigliamento?

1 At what time do clothes shops | open? / close?

B

Aprono alle otto e mezzo.
Chiudono alle ...

They | open at eight thirty. / close at...

Questo negozio effettua

ORARIO CONTINUATO

dal LUNEDI al SABATO

Lunedì dalle ore 14.30 alle ore 19.30
Martedì/Sabato dalle ore 9.30 alle ore 19.30

CHIUSO PER FERIE

dal 13/8/90 **al** 2/9/90

A

2 C'è Dov'è	un	supermercato centro commerciale mercato fruttivendolo	?
	un negozio di	dischi? articoli sportivi ? giocattoli?	
	una	agenzia di cambio farmacia drogheria latteria macelleria panetteria pasticceria salumeria gioielleria profumeria	?
3 Dove posso trovare	della porcellana? delle camicie? delle maglie?		
4 Dov'è il reparto	alimentari cancelleria vestiti libri profumi elettricità	?	
5			
6 Avete	dei jeans ? dei dischi di ...? delle riviste inglesi?		
7 Vorrei un giocattolo	non troppo caro. per un bambino di sei anni.		
8 Può farmi una confezione regalo?			

B

A

2 Is there Where is	a	supermarket shopping centre market greengrocer	?
		record sports toy	shop?
		bureau de change? chemist's? grocer's? dairy? butcher's? baker's? pastry shop? delicatessen? jeweller's? perfume shop?	

3 Where can I find	some china shirts jumpers	?

4 Where's the	food stationery clothing book perfume electrical	department?

5

6 Do you have any	jeans? records by... ? English magazines?
7 I'd like a toy	that is not too expensive. for a six year old.

8 Could you gift-wrap it for me?

B

Good morning, can I help?

SIGNS AND NOTICES

Match the numbers and the letters: 1c, ...

1.	LIQUIDAZIONE TOTALE	a.	*sale*
2.	OFFERTA SPECIALE	b.	*open/closed*
3.	PREZZI SPECIALI	c.	*clearance sale*
4.	PREZZI FISSI	d.	*closed for holidays*
5.	SVENDITA	e.	*free entrance*
6.	SALDI ESTIVI	f.	*upper floor*
7.	SALDI INVERNALI	g	*summer sales*
8.	SALDI DI FINE STAGIONE	h.	*pull/push*
9.	VENDITA PROMOZIONALE	i.	*end of season sales*
10.	APERTO/CHIUSO	j.	*entrance/exit*
11.	ASCENSORE	k.	*special offer*
12.	CHIUSO PER FERIE	l.	*sales promotion*
13	CHIUSO PER TURNO	m.	*special prices*
14.	CHIUSO PER RIPOSO SETTIMANALE	n.	*lift*
15.	ENTRATA/USCITA	o.	*closed on rota*
16.	ENTRATA LIBERA	p.	*winter sales*
17.	LISTINO PREZZI	q.	*fixed prices*
18.	PIANO SUPERIORE	r.	*price list*
19.	TIRARE/SPINGERE	s.	*weekday closing*

UOMO

Jeans	L. 18.500
PANTALONE JEANS	L. 25.000
Jeans velluto	L. 13.500
PANTALONI MODA	L. 35.000
Camicia m/lana	L. 10.000
CAMICIA CLASSICA COT.	L. 13.500
Spolverino	L. 59.000
GIACCONE IMBOTT.	L. 59.000
Giubbini	L. 19.000
PIUMINO	L. 25.000
Maglioni ass.	L. 10.000

DONNA

Gonna magl. plissè	L. 16.000
GONNA M/LANA	L. 9.500
Gonna m/lana moda	L. 16.000
GONNA CLASSICA JEANS	L. 15.000
Gonna gabardine	L. 16.000
GONNA PRINCIPE DI GALLES	L. 12.500
Abito maglina	L. 20.000
ABITO JEANS	L. 25.000
Camicia moda	L. 13.000
CAMICIA FANTASIA	L. 18.000
Pantaloni pura lana	L. 25.000
CAPPOTTO	L. 55.000

A

9	Vorrei	un litro di latte. un chilo di pane. una dozzina di uova. un pacco di spaghetti. un pacchetto di caramelle. una scatola di fiammiferi. un sacchetto di plastica. una bottiglia di vino. una lattina di aranciata. un etto di formaggio.

10	Vorrei	un pullover. un impermeabile. un ombrello. una borsa. un fazzoletto. una giacca. un cappotto.	
		un paio di	occhiali da sole. scarpe. pantaloni. sandali. stivali.

11	Di	nailon. pelle plastica porcellana seta. stoffa. metallo. cotone. velluto.

12	Azzurro. Bianco. Blu. Celeste. Giallo. Rosso. Chiaro. Scuro.

B

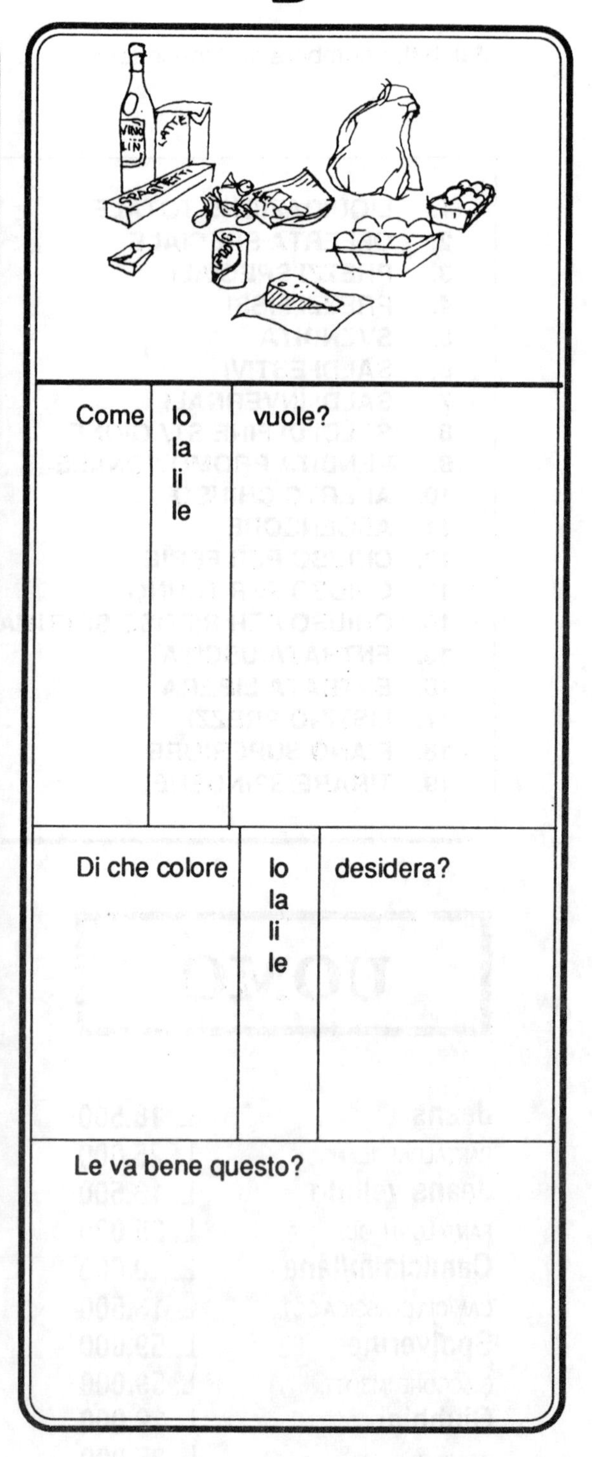

Come	lo la li le	vuole?

Di che colore	lo la li le	desidera?

Le va bene questo?

A	B
9 I'd like a: litre of milk. / kilo of bread. / dozen eggs. / packet of spaghetti. / packet of sweets. / box of matches. / plastic bag. / bottle of wine. / can of orangeade. / 100 grams of cheese.	
10 I'd like: a pullover. / a raincoat. / an umbrella. / a bag. / a handkerchief. / a jacket. / a coat. / a pair of: sun glasses. / shoes. / trousers. / sandals. / boots.	What sort would you like?
11 Made of: nylon. / leather. / plastic. / china. / silk. / material. / metal. / cotton. / velvet.	What colour would you like?
12 Azure. / White. / Blue. / Light blue. / Yellow. / Red. / Light. / Dark.	Is this all right!

A	B
13 Quanto costa?	Mille lire.
	Due / Dieci / Cinquanta / Cento — mila lire.
14 Lo / La / Li / Le — posso provare ?	Sì, prego.
15 È — un po' / troppo — stretto. / largo. / lungo. / corto. / leggero. / pesante. / grande. / caro.	Vuole provare — questo / questa / questi / queste — ?
16 Avete qualcosa di più — elegante / comodo / sportivo / economico — ?	Abbiamo questo nuovo modello.
17 È (troppo) caro.	
18 Non ho — i soldi sufficienti. / abbastanza soldi (con me).	
19	È tutto? / Nient'altro?
20 Grazie, è tutto. — Quanto le devo / Quanto pago / Quant'è — ?	(Sono) trentacinquemila lire.
21 Posso pagare con — un assegno / la carta di credito — ?	
22 Ecco a lei. Arrivederci!	

A	B
13 How much?	One / Two / Ten / Fifty / A hundred — thousand lire.
14 Can I try it /them on?	Yes, certainly.
15 It's a bit too tight. / large. / long. / short. / light. / heavy. / big. / expensive.	Would you like to try this/these?
16 Have you anything more elegant? / comfortable? / casual? — cheaper?	We have this new model.
17 It's (too) dear.	
18 I don't have the right money. / enough money (on me).	
19	Is that all? Anything else?
20 Thank you, that's all. How much do I owe you? / How much do I pay? / How much is it?	(It's) thirty-five thousand lire.
21 Can I pay by cheque ? / credit card?	
22 Here you are. Good bye!	

How to ...

L		R
☐	*Discuss routine, preferences and facilities.	☐
☐	*Ask for small change.	☐
☐	*Return unsatisfactory goods and ask for a refund or replacement.	☐

	A	B
1	Noi preferiamo fare la spesa settimanale alla Standa/alla COOP ... Due volte alla settimana andiamo al mercato, perché è più economico.	
2	Andiamo spesso al supermercato, perché Ci serviamo in quel negozio, perché	ha un grande parcheggio per i clienti. fanno spesso sconti. ci sono spesso offerte speciali. fanno il servizio a domicilio. accettano le carte di credito. sono onesti e gentili. è vicino a casa nostra. è il più vicino. si trova di tutto. i prezzi sono convenienti.
3	Ha — da cambiare centomila lire / della moneta — ?	
4	Questa — radio non funziona. maglia è scucita. giacca non mi va bene. borsa è rotta.	
5	Potrebbe cambiarmela?	Mi dispiace, gliela cambio subito. Preferisce essere rimborsato/a? Ha la ricevuta?

A		B
1	We prefer to do our weekly shopping at La Standa/at the COOP... We go to the market twice a week because it's cheaper.	
2	We often go to the supermarket because We use that shop because	it has a large car park for customers. they often have discounts. they often have special offers. they deliver to your home. they accept credit cards. they are honest and kind. it's near our house. it's the nearest one. you can find everything. the prices are low.
3	Have you	change for a hundred thousand lire? any change?
4	This	radio doesn't work. jersey has come undone. jacket doesn't fit me. bag is broken.
5	Could you change it for me?	I'm sorry, I'll change it at once. Do you prefer a refund? Do you have the receipt?

WORDSEARCH

SHOPPING

In August, while on holiday in Rome, you want to buy a record but the record shop is closed -like many other shops in the city.
Can you find out why?

Key: _ _ _ _ _ _ _   _ _ _   _ _ _ _ _ _

ALIMENTARI	NEGOZIO
BARATTOLO	PACCO
CAMICIA	PROFUMO
CASSA	REPARTO
CINTURA	RICEVUTA
CHIARO	SACCHETTO
COMPRARE	SALDI
COTONE	SCARPE
CRAVATTA	SCONTO
DISCO	SETA
FARMACIA	SPESA
GONNA	STOFFA
LANA	VELLUTO
MERCATO	VESTITO
METRO	VETRINA

```
O T I T S E V V E L L U T O
A S E T A N E G O Z I O L A
N A L I M E N T A R I O C T
A C F H E I A N I R T E V T
L C U A T C S C S T O F F A
C H I A R O A E A S S A C V
A E O E O M P R O F U M O A
R T M P I R A T U V E C I R
U T E C A B C C E N O T O C
T O I C R F C E I S A L D I
N A S A N N O G R A S E P S
I I D I S C O M P R A R E E
C S C O N T O O T R A P E R
```

10. SERVICES

POST OFFICE

How to ...

L | R

- [ ] Ask where a post office, a tobacconist or letter box is. [ ]
- [ ] Ask how much it costs to send letters, postcards or parcels to a particular country or within Italy. [ ]
- [ ] Say whether you would like to send letters, postcards or parcels. [ ]
- [ ] Buy stamps of a particular value. [ ]
- [ ] Find out opening and closing times. [ ]
- [ ] Say that is all you require. [ ]
- [ ] *Inquire about and use 'fermo posta'. [ ]

A

1 Scusi, dov'è	un ufficio postale una tabaccheria una buca delle lettere	?	
2 A che ora	apre chiude	l'ufficio postale?	
3 Quanto costa spedire	una lettera una cartolina un pacco un pacchetto un biglietto d'auguri	in	Germania? Belgio? Irlanda? Spagna?
4 Mi dia un francobollo	per	la Gran Bretagna, lettera, cartolina,	per favore?
	da mille lire,		

B

È là, vicino alla banca. È laggiù, sulla destra. Non lo so, mi dispiace.
Apre alle otto e quindici. Chiude alle quattordici.

	A		B
5	Che francobollo devo mettere per	la Francia la Grecia il Lussemburgo il Portogallo	?

6	Vorrei spedire	questa lettera per via aerea questo pacco un espresso una raccomandata (con ricevuta di ritorno)	in	Olanda. Danimarca. Germania. Australia.

	A			B
7	Dov'è Qual è	lo sportello	del fermo posta? delle raccomandate? dei conti correnti? dei vaglia? dei pacchi?	In fondo, a destra. Lo sportello accanto.
8	Vorrei incassare questo vaglia postale.			Ha un documento, per favore?
9	Vorrei spedire un telegramma.			Di quante parole?
10	Di venti parole.			Compili questo modulo, per favore.

CONTI CORRENTI POSTALI

Certificato di accreditam. di **L.** ....

Lire ....

....

sul C/C N. ....

intestato a ....

....

eseguito da ....

residente in .... via ....

addì ....

Bollo lineare dell'Ufficio accettante

L'UFFICIALE POSTALE

Bollo a data .... **N.** ....

del bollettario **ch 9**

Importante: non scrivere nella zona sottostante!

data progress. numero conto importo

Mod. **ch-8** *bis* AUT. (1983) cod. 127902

A

1 Excuse me, where is a	post-office? tobacconist's ? letter-box?			
2 At what time does the post-office	open ? close?			
3 How much is it to send a	letter card parcel small parcel greetings card	to	Germany? Belgium? Ireland? Spain?	
4 Would you give me	a stamp	for	Great Britain a letter, a card,	please?
	a thousand lire stamp,			
5 What stamp do I have to put for	France ? Greece? Luxemburg? Portugal?			
6 I'd like to send	this letter by air-mail this parcel an express letter a registered letter (with advice of receipt)	to	Holland. Denmark. Germany. Australia.	
7 Where is the	poste-restante registered letter current account postal-order parcel	counter?		
8 I'd like to cash this postal order.				
9 I'd like to send a telegram.				
10 Twenty words.				

B

It's there, near the bank. It's down there, on the right. I'm sorry I don't know.
It opens at eight fifteen It closes at 2.00 pm.
At the end, on the right. The next counter.
Do you have any identification, please?
How many words?
(Would you) fill in this form, please.

UFFICI POSTALI (post offices)

- Gli uffici postali sono aperti al pubblico i giorni feriali dalle 8.25 alle 14.00, il sabato chiudono alle 12.00.
- Nelle maggiori località gli uffici sono aperti fino alle 19.30/20.00.
- Negli aeroporti internazionali l'ufficio postale è aperto 24 ore su 24.
- Il servizio **FERMO POSTA** esiste presso tutti gli uffici postali e si possono ricevere: corrispondenza, pacchi o vaglia postali.
- I francobolli si possono acquistare, oltre che negli uffici postali, presso le tabaccherie.
- Se desiderate ulteriori informazioni sui servizi svolti dalle Poste italiane, telefonate al 160 (tutti i giorni, dalle ore 8.00 alle 20.00, è presente personale che parla almeno l'inglese e il francese).

FERMOPOSTA *poste-restante.*
VAGLIA POSTALI *money-orders.*
OLTRE CHE *beside*

Dettatura telegrammi nazionali ed esteri 186

L'addebito, oltre alla normale tassa telegrafica, è di L. 1.000 o di L. 1.200 (a seconda che l'ufficio dettatura di competenza sia situato nello stesso settore oppure in altro settore del distretto) per ogni telegramma in partenza e di L. 250 per ogni telegramma in arrivo. Sarà considerato come mittente il titolare dell'apparecchio telefonico dal quale viene dettato il telegramma.
L'orario di servizio è limitato al periodo di apertura degli uffici telegrafici.

All'ufficio postale centrale di Torino

Signor Martini	Scusi, mi potrebbe spiegare che cos'è il fermo posta?
Impiegato	Certamente! È un sistema per ricevere la corrispondenza all'ufficio postale di una località dove il destinatario andrà a ritirarla.
Signor Martini	Che indirizzo bisogna scrivere sulla busta?
Impiegato	Si scrive il nome e il cognome del destinatario, l'ufficio postale, fermo posta e il nome della località.
Signor Martini	Mi potrebbe fare un esempio, per cortesia?
Impiegato	Sì guardi! Se Lei vuole ricevere della corrispondenza presso questo ufficio, l'indirizzo è il seguente: Signor E. Martini, c/o Ufficio Postale Centrale Fermo posta, 10100 TORINO

CHE COSA VUOL DIRE ...?

ABBREVIATIONS & SIGNS

A.R. AVVISO DI RICEVIMENTO	*notice of delivery*
C.A.P. CODICE DI AVVIAMENTO POSTALE	*post code*
C/C CONTO CORRENTE	*current account*
c/o PRESSO	*care of*
P.T. POSTE E TELEGRAFI	*post office*
R.R. RICEVUTA DI RITORNO	*return receipt*
CASSA	cash, (cash-) *desk*
POSTA CENTRALE	*general post office*
CONTRO ASSEGNO	*cash on delivery*
FERMO POSTA	*poste restante*
LETTERA RACCOMANDATA	*registered letter*
ORARIO PER IL PUBBLICO	*hours of business*
ORARIO DI APERTURA/CHIUSURA	*opening/closing time*
TARIFFA (POSTALE/TELEFONICA)	*rates (postal/telephone)*
UFFICIO CONTI CORRENTI POSTALI	*postal current account office*
UFFICIO SUCCURSALE P.T.	*branch post office*
UFFICIO VAGLIA E RISPARMI	*money orders and savings office*
ULTIMA ORA	*mail closing time*
VAGLIA POSTALE	*postal order*

CROSSWORDS **POST OFFICE AND TELEPHONE**

COME SI DICE ... IN ITALIANO? COME SI SCRIVE?

ACROSS

1 number
3 telephone
4 code number
5 address
6 stamp
7 to receive
8 post card
9 to send
10 (telephone) token
11 postman
12 letter
13 parcel
14 form
15 telegram

KEY: DOWN 2. Come si dice 'post office' in italiano? Come si scrive?

TELEPHONE

How to ...

L		R
☐	*Give and seek information about where phone calls can be made.	☐
☐	*Ask someone to telephone you.	☐
☐	*Find out if others can be contacted by phone.	☐
☐	*Tell others you will telephone them.	☐
☐	*Ask if you can make a call.	☐
☐	*Ask for a telephone number and give your telephone number.	☐
☐	*Ask for coins.	☐
☐	*Answer a phone call, stating who you are.	☐
☐	*Make a phone call and ask to speak to someone.	☐

	A	B
1	Dov'è una cabina telefonica / un telefono (pubblico) ?	In Piazza Dante, accanto all'edicola. A cento metri, sulla destra.
2	Mi dia l'elenco telefonico / le pagine gialle di Firenze, / Como, / San Remo, per favore?	
3	Vorrei telefonare in Inghilterra. / fare una telefonata urbana/interurbana. / il numero del cinema Centrale.	
4	Qual è il prefisso di Firenze?	Il prefisso di Firenze è 055.
5	Che numero devo fare per la Gran Bretagna?	0044, seguito dal prefisso della località, senza lo zero e dal numero della persona che vuole chiamare.

A	B
A	**B**
6 Posso avere dei gettoni? / delle monete da duecento (lire)?	Quanti ne desidera? Quante ne desidera?
7 Vorrei una carta telefonica da cinquemila (lire). / diecimila (lire).	
8 La linea è disturbata. Non riesco a prendere la linea; proverò più tardi. Non risponde nessuno. Questo telefono non funziona. Questo telefono è fuori servizio.	
9 Pronto!	Pronto! Chi parla?
10 Sono il signor Costantini. / Anna.	
11 Potrei parlare con il dottor Brandi? C'è Gabriella?	Non la sento, parli più forte! Sì, un attimo! Dica! Sono io. Glielo/gliela chiamo. Ha sbagliato numero. Mi dispiace, ma è appena uscito/a.
	Potrebbe telefonare stasera? / richiamare più tardi? / tra dieci minuti?
12 Potrebbe dirgli / dirle che ha chiamato Marco? / di richiamarmi?	
13 Qual è il tuo numero di telefono? Dove ti posso telefonare?	Il mio numero di telefono è (0184) 357136.
14 Telefona ogni tanto! Fatti sentire qualche volta!	Ti telefonerò appena possibile. D'accordo! Ci sentiamo presto.
15 Posso fare una telefonata / telefonare ai miei genitori / ai miei amici / a Sandra / a Carlo ?	

	A	B
1	Where is the nearest phone-box ? public phone?	In Piazza Dante, next to the newspaper kiosk. A hundred metres on your right.
2	Would you give me the telephone directory the yellow pages for Florence, Como, San Remo, please?	
3	I'd like to phone England. to make a local/long distance call. the number of the Cinema Centrale.	
4	What is the code for Florence?	The code for Florence is 055.
5	What number do I have to dial for Great Britain?	0044 followed by the area code without the zero and the number of the person you want to call.
6	Can I have some telephone tokens ? two hundred lire coins?	How many would you like?
7	I'd like a five thousand lire phone-card. ten	
8	This is a bad line. I can't get through; I'll try later. There's no answer. This phone doesn't work. This phone is out of service.	
9	Hallo!	Hallo! Who's speaking?
10	This is Mr. Costantini. Anna.	
11	Could I speak to Dr. Brandi? Is Gabriella there?	I can't hear you, speak more loudly! Yes, one moment! Yes, It's me. I'll call him/her for you. You've got the wrong number. I'm sorry, but he/she has just gone out. Could you phone tonight ? call back later call back in ten minutes
12	Could you tell him that Marco called ? tell her to call me back?	
13	What's your phone number? Where can I phone you?	My number is (0184)357136.
14	Phone every now and then! Let's hear from you sometime!	I'll call you as soon as possible. O.K.! I'll hear from you soon.
15	Can I make a phone call to my parents? phone my friends? Sandra? Carlo?	

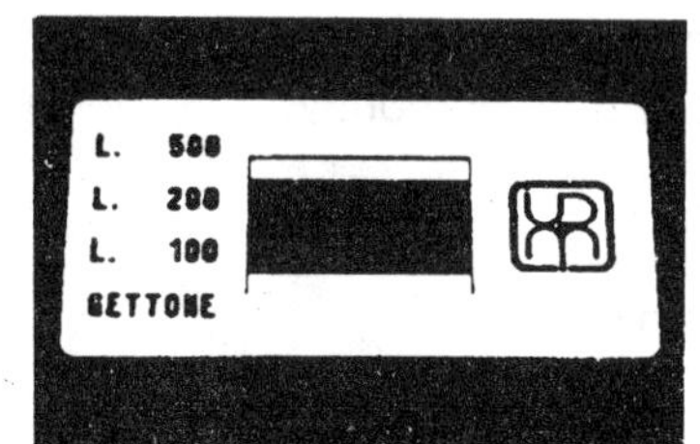

La bocchetta unica di introduzione delle monete accetta 6 tipi di pezzi (5 monete + gettone). Attualmente riconosce le 100, 200 e 500 lire; le due possibilità rimanenti saranno dedicate alle monete di nuovo conio. Le monete non utilizzate vengono automaticamente restituite al riaggancio.

La carta telefonica* è il nuovo mezzo di pagamento destinato a prendere il posto del gettone, che ha fatto ormai il suo tempo. Essa consente di effettuare telefonate per il tempo desiderato, è comoda da usare e di minimo ingombro. La si può trovare presso i punti pubblici SIP, i distributori automatici di carte telefoniche SIP e negli esercizi commerciali segnalati.
Gli apparecchi con lettori di carte telefoniche, situati prevalentemente nei punti di maggior traffico telefonico, stazioni, aeroporti, centri urbani, località turistiche, sono 20 mila e a fine anno saranno il doppio. Grazie anche ai moderni mezzi di pagamento, il Telefono Pubblico è sempre di più sulla tua strada.

* Le carte non utilizzate, in tutto o in parte, entro il termine di validità, vengono rimborsate dalla SIP per l'importo residuo corrispondente.

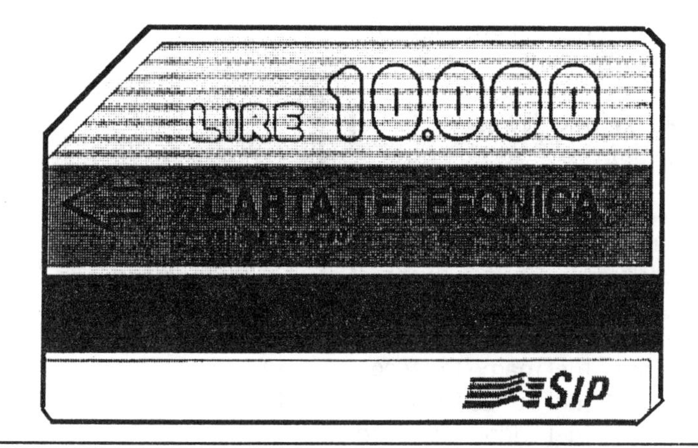

190
ULTIME NOTIZIE RAI

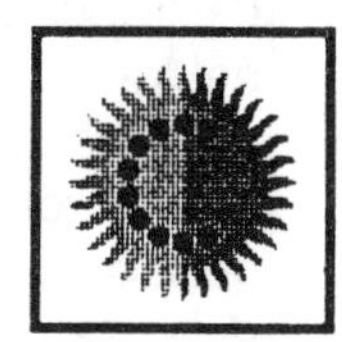

1911
PREVISIONI METEOROLOGICHE

114
SVEGLIA

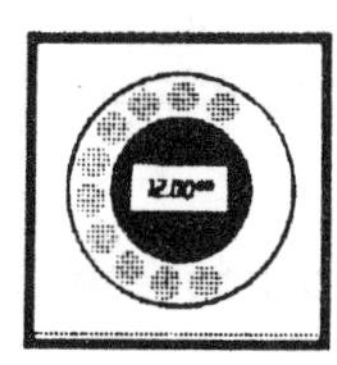

161
ORA ESATTA

BANK OR EXCHANGE OFFICE

How to ...

L		R
☐	*Say you would like to change travellers' cheques or money.	☐
☐	*Give proof of identity (e.g. show passport).	☐
☐	*Ask for coins or notes of a particular denomination.	☐
☐	*Cope with any likely eventuality that may arise while using a bank or foreign exchange office to change currency or cheques.	☐

A	B
1 Vorrei cambiare dei travellers' cheque. / dei franchi. / delle lire. / delle sterline.	Ha un documento, per favore?
2 Sì, ho il passaporto. / la carta di identità.	Firmi qui, per favore.
3 Potrebbe darmi dei biglietti da diecimila / due biglietti da cinquemila / della moneta ?	E il resto come lo vuole?
4 Vorrei dei biglietti da mille (lire). Non importa! Come vuole lei!	
5 A che ora aprono / chiudono le banche?	Aprono alle otto e quarantacinque. Chiudono alle ...
6 Quant'è il cambio / Qual è la quotazione della sterlina / del marco tedesco / del franco francese / del fiorino olandese / del franco belga / del franco svizzero / della lira irlandese / della corona danese / della dracma greca / del dollaro USA / del dollaro australiano / del dollaro canadese / dello scellino austriaco / dello yen / della peseta / dell' escudo portoghese ?	La quotazione è .. lire per una sterlina...

	A		B
1	I 'd like to change	some travellers' cheques. francs. lire. pounds.	Have you any means of identification.
2	Yes, I have my	passport. identity card.	Sign here, please!
3	Could you give me	some ten thousand lire notes? two five thousand lire notes? some change?	And the change, how would you like it?
4	I should like it in thousand lire notes. It doesn't matter! As you like!		
5	When do the banks	open ? close?	They open at eight forty-five. They close at...
6	What is the exchange rate for the...	Pound Deutschmark French Franc Dutch Guilder Belgian Franc Swiss Franc Irish Punt Danish Krone ? Greek Drachma U.S. Dollar Australian Dollar Canadian Dollar Austrian Schilling Yen Spanish Peseta Portuguese Escudo	The rate is ...lire to the pound...

I CAMBI DELLA LIRA — **a cura della COMIT**

Valute estere	Milano	Media pond.	Banconote
Dollaro USA	1.353,300 (– 1,500)	1.353,525	1.360,000
Marco tedesco	734.340 (– 1,460)	734,425	733,000
Franco francese	215,940 (+ 0,360)	215,920	215,500
Sterlina	2.107.500 (– 25,500)	2.107,500	2.110,000
Fiorino olandese	650,650 (– 1,440)	650,650	650,000
Franco belga	34,993 (– 0,070)	34,900	34,500
Peseta spagnola	11,496 (– 0,010)	11,500	11,300
Corona danese	189,200 (+ 0,130)	189,165	186,000
Lira irlandese	1.943,500 (– 8,000)	1.943,750	1.925,000
Dracma	8,175 (– 0,035)	8,174	7,500
Escudo portoghese	8,500 (– 0,050)	8,512	8,400
Ecu Sme	1.502,200 (– 3,500)	1.501,850	–
Dollaro canadese	1.156,000 (– 3,500)	1.155,800	1.150,000
Yen giapponese	9,362 (– 0,04)	9,362	9,250
Franco svizzero	828,850 (– 0,900)	829,000	827,000
Scellino austriaco	104,309 (– 0,130)	104,289	103,250
Corona norvegese	195,200 (1,000)	195,250	195,000
Corona svedese	209,370 (– 0,710)	209,460	209,000
Marco finlandese	317,210 (—)	316,980	315,000
Dollaro australiano	1.058,250 (– 4,750)	1.058,000	1.050,000
Dinaro	— —	0,010	

BANCHE (banks)

- Le banche sono generalmente aperte al pubblico dalle 8.30 alle 13.30 e dalle 14.45 alle 15.45, esclusi il sabato, la domenica e i giorni festivi e semifestivi.

- I giorni festivi in cui le banche restano chiuse sono: il primo dell'anno, il lunedì di Pasqua, il 25 aprile, il I maggio, il 15 agosto, il I novembre, l'8, il 25 e il 26 dicembre e il giorno del Santo Patrono di ogni singola città.

- I giorni semifestivi con chiusura degli sportelli alle 11.30 sono: il 14 agosto, il 24 dicembre e l'ultimo giorno dell'anno.

GIORNI FESTIVI	*holidays*
SEMIFESTIVI	*half-holidays*
PRIMO DELL'ANNO	*New Year's Day*
LUNEDI' DI PASQUA	*Easter Monday*
SANTO PATRONO	*patron saint*

CHE COSA VUOL DIRE ...?

SIGNS and Key words

ASSEGNO	*Cheque*
ASSEGNO TURISTICO/ TRAVELLERS' CHEQUE	*Traveller's cheque*
BANCA	*Bank*
BOLLETTA	*Bill, note*
BORSA	*Stock Exchange*
CAMBIO	*Exchange*
CARTA ASSEGNI	*Cheque card*
CARTA DI CREDITO	*Credit card*
CASSA	*Cash desk*
CASSA CONTINUA	*Night safe*
CASSA DI RISPARMIO	*Savings Bank*
CASSETTA DI SICUREZZA	*Safe deposit box*
GIRARE	*To endorse*
ISTITUTO DI CREDITO	*Bank*
LIBRETTO DI ASSEGNI	*Cheque book*
MODULO	*Form*
MONETA	*Coin*
MUTUO	*Loan*
RISCUOTERE/VERSARE	*To cash/To pay*
SPICCIOLI	*Small change*
SPORTELLO	*Counter*
SPORTELLO AUTOMATICO	*Cash till*
VALUTE ESTERE	*Foreign currency*

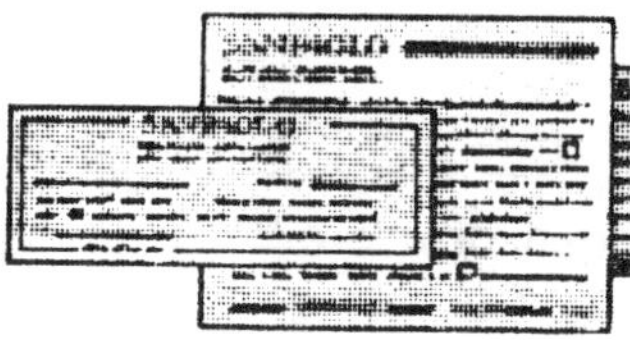

I moduli

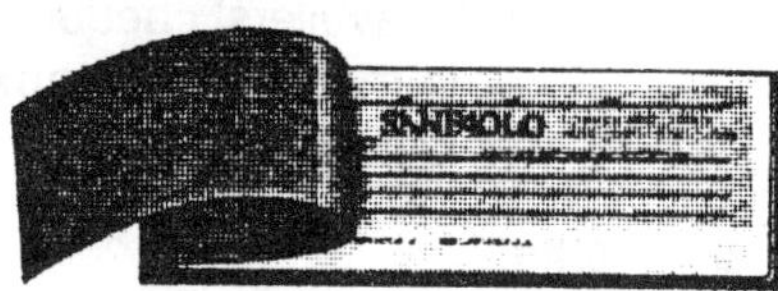

Il libretto degli assegni

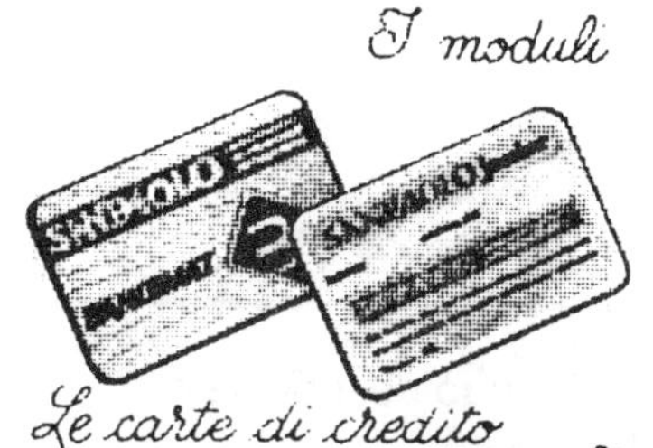

Le carte di credito

Il computer

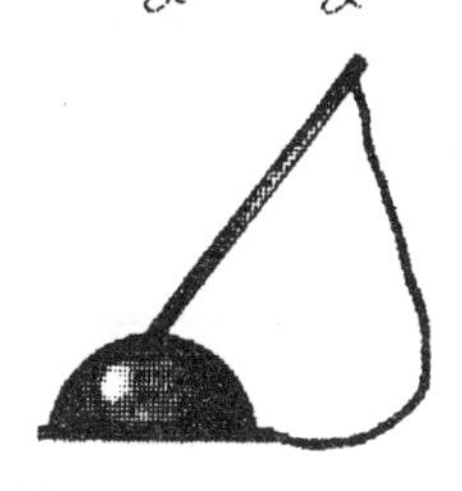

La penna a sfera

I dépliants

Il denaro

LOST PROPERTY

How to ...

L		R
☐	* Report a loss or theft, saying what you have lost, when and where it was lost or left, describing the item (size, shape, colour, make, contents).	☐
☐	* Express surprise, pleasure, disappointment, anger.	☐

A

1 Ho perso	la mia borsa. l'ombrello. i guanti.
2 Vorrei denunciare il furto di...	
3 Mi hanno rubato	il portafoglio. la borsa. la macchina fotografica. i documenti. i travellers' cheque. la macchina/l'automobile. la bicicletta.
4 Oggi, al mercato. Ieri sera, al cinema. Questo pomeriggio, sulla spiaggia.	
5 Purtroppo avevo tutti i miei	soldi! documenti!
6	
7	

B

Quando Dove	è successo?	
Aveva oggetti di valore ?		
Me	lo la	può descrivere?
Adesso, firmi il verbale! La informeremo, appena avremo notizie.		

A

1	I have lost	my bag. my umbrella. my gloves.	
2	I would like to report the theft of ...		
3	I've had	my wallet bag camera documents travellers' cheques car bicycle	stolen..
4	Today, at the market. Last night, at the cinema. This afternoon, on the beach.		
5	Unfortunately I had all my	money! documents!	
6			
7			

B

When Where	did it happen?
Did you have anything of value?	
Can you describe it to me?	
Would you now sign the statement? We'll let you know, as soon as we have some information.	

How to ...

L R

☐ *Express surprise, pleasure, anger. ☐

A

1	Che bella sorpresa! Non credo ai miei occhi! Davvero! No! (È impossibile!/ È incredibile!)		What a nice surprise! I can't believe my eyes! Really! No! (It's impossible!/It's incredible!)	
2	Mi fa molto piacere che tu abbia trovato la borsa. Meno male! Sono soddisfatto della mia nuova macchina.		I'm very pleased you've found your bag. Thank Heavens! I'm pleased with my new car.	
3	Sono molto	seccato. arrabbiato. contrariato. irritato.	I'm very	annoyed! angry ! put out! irritated!
4	Basta!		Stop it!	
5	Lasciami perdere!		Leave me alone!	
6	È una vergogna!		It's a shame!	
7	Lei è un maleducato!		You're bad mannered!	

DENUNCIA DI FURTO

Il sottoscritto (indicare: nome, cognome, data e luogo di nascita, residenza, nazionalità, domicilio in Italia,

numero del passaporto) ____________________

____

____

Denuncia di essere stato derubato dei seguenti oggetti: ____________________

____

il giorno ______________ alle ore ____________ in località ______________

Circostanze e modalità con le quali è stato commesso il furto: ____________________

____

Il danno ammonta a lire ______________ Coperto/non coperto da assicurazione ____________

Data ____________________ Firma ____________________

HOW TO DESCRIBE AN OBJECT

When describing an object, you must be systematic, accurate and use , when possible, all your senses.

1. Describe why:	ho perso ..., mi hanno rubato ..., vorrei comprare ..., ho comprato ..., mi hanno regalato ..., ho visto, ...
2. Describe what:	una borsa, una macchina fotografica, un mercato, una vetrina , ...
3. Where is it/was it:	in un negozio, in un museo, in camera, al cinema, ...
4. Value:	caro, economico, a buon prezzo, costa un occhio della testa, vecchio, antico, nuovo di zecca, un affare, un ricordo, ha un valore sentimentale, ...
5. Shape:	di forma ..., quadrato, rettangolare, rotondo, triangolare, ovale ...
6. Size:	grande, piccolo, più grande di ..., meno grande di ..., più piccolo di ... piccolissimo, grande come, ...
7. Material:	di plastica, di pelle, di ferro, di metallo, di legno, di vetro, d'oro, d'argento, di ceramica, ...
8. Colour:	bianco, nero, marrone, chiaro, scuro, ...in tinta unita, a righe, a pallini, a quadri, ...
9. Contents:	documenti, libretto degli assegni, chiavi, borsellino, patente, vuoto, ...

All'ufficio oggetti smarriti

(1) Ieri ho perso **(2)** la mia borsa.
(3) Non ricordo se l'ho dimenticata al ristorante o sull'autobus.
(4) È nuova di zecca: l'avevo appena comprata.
(5) È rettangolare e **(6)** abbastanza grande.
(7) È di plastica **(8)** nera con la base di pelle marrone.
(9) Conteneva tutti i miei documenti, centomila lire, le chiavi di casa e l'agendina con tutti gli indirizzi dei miei amici in Italia.
(10) Anche se la borsa mi piaceva molto, sarei felicissima di ritrovare almeno i miei documenti e l'agendina.

Following the guidelines and the model, describe the following objects:
UNA VALIGIA, UNA BICICLETTA, UNA GIACCA, UN OROLOGIO

GLI ORGANI DI SENSO SONO *(The sense organs are)*:

La lingua per **il GUSTO:** amaro/dolce; squisito/disgustoso; saporito/insipido ...
Il naso per l'**OLFATTO:** un buon odore/un cattivo odore; profumo/puzzo; fragranza; aroma ...
La pelle per il **TATTO**: morbido/duro; liscio/ruvido; pesante/leggero; caldo/freddo ...
Gli occhi per la **VISTA**: i colori, la luce ...

HAVING THINGS REPAIRED AND CLEANED

How to ...

L		R
☐	*Report an accident, damage done, breakdown.	☐
☐	*Explain what is wrong.	☐
☐	*Ask if shoes, clothes, camera, etc, can be repaired.	☐
☐	*Find out how long it will take, what it will cost, when an item will be ready.	☐
☐	*Ask for, and offer, advice about getting something cleaned or repaired.	☐
☐	*Ask for an item of clothing to be washed.	☐
☐	*Ask to borrow something, to repair a bicycle, mend article of clothing, etc.	☐
☐	*Suggest the need for repair or cleaning and report or comment on any action taken.	☐

A

1 Ho	avuto un incidente. la batteria scarica. bucato una gomma.	
	il flash il rubinetto il radiatore	che non funziona. guasto. rotto.
2 Potrebbe ripararmi	il registratore? la macchina fotografica? i sandali? le scarpe?	
3 Quando	posso ritirarlo sarà pronto saranno pronti/e	?
4 Quanto costa Dove posso	(fare) riparare pulire	questa giacca?

B

Mi dispiace, ma stiamo chiudendo. Non ne vale la pena. Lo/la/li/le lasci pure. Qual è il suo nome?
Provi stasera. Passi domani mattina. (Torni) tra due ore.

A

5 Dov'è Dove posso trovare	un'autorimessa un'officina un meccanico un calzolaio un elettricista un idraulico una lavanderia a secco	?
6 Mi presti Mi potrebbe imprestare	un cacciavite una chiave inglese un martello dei chiodi del filo (per cucire) delle forbici un ago una pila	?
7 Vorrei lavare (a secco) questa	maglia. camicia. gonna. cravatta.	

8 Bisogna fare	riparare aggiustare	la televisione. la doccia. la finestra.
	pulire il tappeto. lavare le tende.	

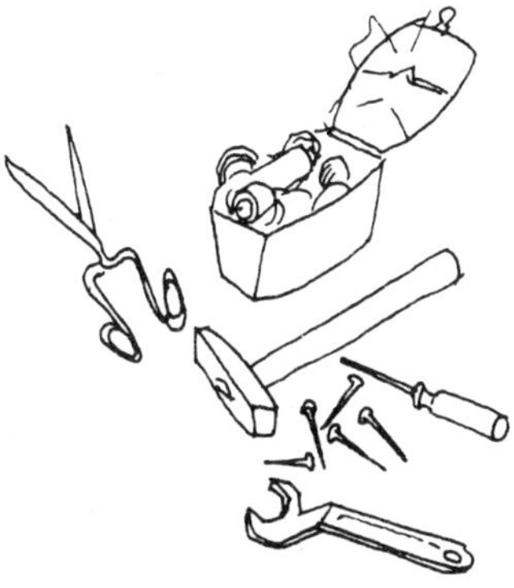

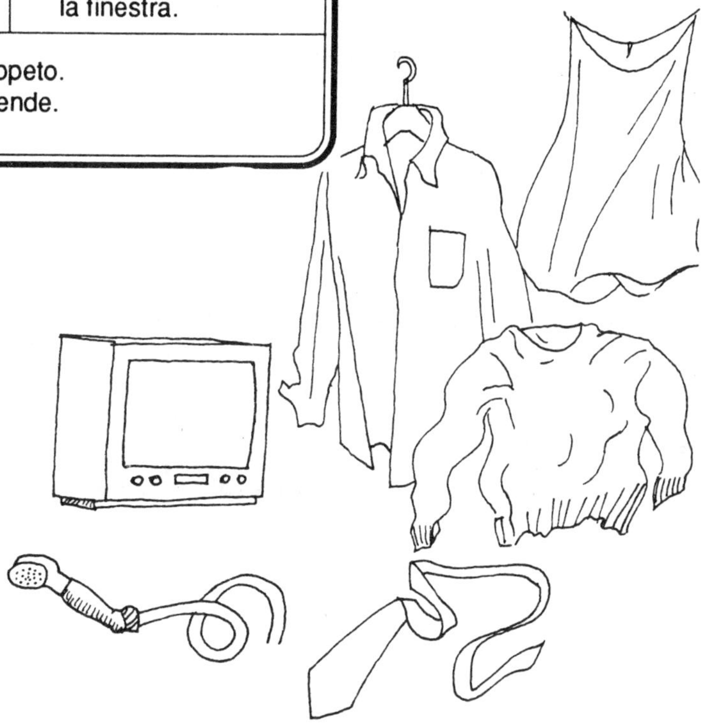

A

1 I've	had an accident. a flat battery. punctured a tyre.		
The flash doesn't work. The tap is faulty. The radiator is broken.			
2 Could you repair my	tape recorder camera sandals shoes	?	
3 When	can I collect it ? will it be ready? will they be ready?		
4 How much is it to get Where can I have	this jacket	mended? cleaned?	
5 Where is there a garage ?			
Where can I find	a garage? a mechanic? a shoemaker? an electrician? a plumber? a dry cleaner's?		
7 Can you lend me Could you lend me	a screwdriver? a spanner? a hammer? some nails? some cotton thread? a pair of scissors? a needle? a battery?		
6 I'd like to have this	jersey shirt skirt tie	(dry) cleaned.	
8 The	television shower window	needs repairing.	
	carpet needs cleaning. curtains need washing.		

B

I'm sorry but we are closing. It's not worth it. You can leave it/them. What is your name?
Try this evening. Call tomorrow morning. (Come back) in two hours.

How to ...

L R

*Thank, complain, express disappointment, pleasure.

A

1 Grazie (mille/infinite)!
Grazie tante!
Non so come ringraziarla.
È molto gentile!
La vorrei ringraziare ...
La ringrazio!

2 Prego!
Non c'è di che!
Di niente!
Si figuri!

3 Non sono molto soddisfatto ...
C'è una macchia ...
È macchiato.
Non è ancora pronto?
È rotto.
Costa troppo.
Vorrei essere rimborsato/a.

4 Non le nascondo il mio dispiacere per ...
Mi dispiace!
È davvero un peccato!
Questa non ci voleva (proprio)!
Adesso non so come fare!
Proprio oggi doveva capitare!
Che seccatura!

5 Meno male!
È venuto benissimo!
Sembra nuovo!
Magnifico!
Ha fatto un ottimo lavoro.
Mi fa molto piacere che te l'abbiano cambiato.
Mi ha fatto molto piacere sapere ...

1 Thank you very much!
Many thanks!
I don't know how to thank you.
You're very kind!
I'd like to thank you...
Thank you!

2 Don't mention it!
You're welcome!
It's nothing!
That's all right!

3 I' m not very satisfied...
There is a stain...
It's stained.
Isn't it ready yet?
It's broken.
It costs too much.
I should like a refund.

4 I can't conceal my disappointment at..
I'm sorry!
It's a real pity!
We (really) didn't need this!
I don't know what to do now!
It had to happen today of all days!
What a nuisance!

5 Just as well!
It has come out very well!
It looks new!
Magnificent!
You have done an excellent job.
I'm very pleased they changed it for you.
I was very pleased to hear ...

11. HEALTH AND WELFARE

HEALTH AND WELFARE (General)

How to ...

L		R
☐	State how you feel.	☐
☐	Ask others how they feel.	☐
☐	Refer to parts of the body where you are in pain or discomfort.	☐
☐	Ask about taking a bath or shower.	☐
☐	Ask for soap, toothpaste, towel.	☐
☐	*Say you would like to rest or go to bed.	☐
☐	Call for help.	☐
☐	Warn about danger.	☐

A

1	Come	stai va ti senti	?
2	Che cos'hai Cos'è che non va Cosa ti succede		?
3			
4			

B

(Sto)	bene. male.
Mi sento	debole. stanco. meglio.
Ho mal di	cuore. denti. gola. pancia. schiena. testa.
Ho male	al naso. all' orecchio. ai piedi. agli occhi. alla gamba. alle mani.
Ho	caldo. freddo. fame. sete.

A

5 Vorrei fare	il bagno. la doccia.
6 Potrei lavarmi	le mani? i denti?
7 Vorrei	riposare ancora un po'. andare a riposare.
8 Vado a	fare un sonnellino. letto.
9 Aiuto! Al fuoco! È pericoloso! Non toccare!	

B

Vuoi C'è	il sapone l'asciugamano il pettine il dentifricio lo spazzolino da denti	?

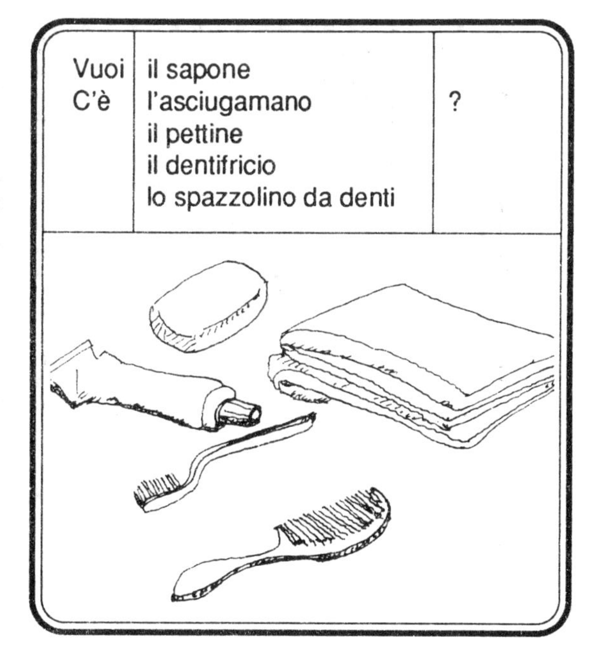

ECCO LE 7 REGOLE DA DICORDARE

■ Queste le regole principali cui sarà bene attenersi per evitare brutte sorprese durante le vacanze al mare o in montagna.

1) Non entrare in acqua dopo essere stati troppo tempo al sole o se si è accaldati o sudati.

2) Bagnarsi con gradualità, prima di immergersi completamente, per adattare l'organismo sia all'acqua, sia alla differenza di temperatura.

3) La maggior parte degli annegamenti non sono dovuti a inesperienza nel nuoto o a infarto, ma a uno shock causato dall'impatto con l'acqua, che si manifesta con difficoltà respiratoria e tachicardia.

4) Quando si nuota è bene dosare le proprie energie. Nell'acqua si consuma tre volte più ossigeno che nel percorrere lo stesso tragitto di corsa a piedi.

5) Dopo pranzo si può tranquillamente fare il bagno purché non si sia mangiato e bevuto eccessivamente

6) In montagna si possono tranquillamente raggiungere i 1500-2000 metri. Oltre questa quota, la rarefazione dell'ossigeno, richiede un graduale adattamento se non si vogliono correre rischi.

7) I bruschi salti di quota (teleferiche etc.) possono portare conseguenze gravi. Il mal di testa è il segnale premonitore di tali inconvenienti.

A			
1 How	are you is it going do you feel	?	
2 What's	the matter with you wrong happening to you	?	
3			
4			
5 I would like to have a	bath. shower.		
6 Could I	wash my hands ? brush my teeth?		
7 I would like	to rest a little longer. to go and rest.		
8 I am going	to have a nap. to bed.		
9 Help! Fire! Be careful!/Look out! It's dangerous! Don't touch!			

B			
I am	well. not well.		
I feel	weak. tired. better.		
I've a pain in my heart.			
I've got	tooth ache. a sore throat. stomach-ache. back-ache. a head-ache.		
My	nose hurts. ear hurts. feet hurt. eyes hurt. leg hurts. hands hurt.		
I'm	hot. cold. hungry. thirsty.		
Do you want some soap			
Is there	a towel a comb any toothpaste a toothbrush	?	

ILLNESS AND INJURY

How to ...

L		R
☐	*Report minor ailments.	☐
☐	*Report injuries.	☐
☐	*Say you would like to lie down.	☐
☐	*Say you would like to see a doctor or dentist.	☐
☐	*Respond to questions about how long an ailment or symptom has persisted.	☐
☐	*Deal with or contact, medical services.	☐
☐	*Say whether you take medicines regularly, and if so, what.	☐
☐	*Say whether you are insured (or not).	☐
☐	*Tell others about medical facilities, surgery hours.	☐

A

1		
2	Ho	un dolore qui. un ascesso. i crampi. preso un colpo di sole. la diarrea. rimesso. la febbre. il raffreddore da fieno. l'influenza. la pressione alta/bassa.
3	Mi sono	bruciato. fatto male. ferito. punto. tagliato.
4	Ho bisogno di Vorrei	distendermi. coricarmi. un dottore. un dentista.

B

Dove ha male?
Che disturbo sente?
Che disturbi ha?

A	
5	
6	
7	Da una settimana. È la prima volta. Non mi era mai successo.
8	
9	A che ora apre l' ambulatorio (medico) ?
10	Qual è l'orario delle visite ?
11	Vorrei prenotare una visita specialistica.

B	
Le devo fare	un'iniezione. un prelievo (di sangue). un'otturazione.
Da quanto tempo ha questo dolore? È la prima volta che ha questi sintomi?	
Sta prendendo Prende	qualche medicina ?
È assicurato? Ha il modulo E111?	
Alle otto e trenta.	

ALL'OSPEDALE

Ho bisogno di un	dermatologo. ginecologo. oculista. otorinolaringoiatra. dentista.

DERMATOLOGIA	*Dermatology*
GINECOLOGIA	*Gynaecology*
OCULISTICA	*Oculistics*
OTORINOLARINGOIATRIA	*'Ear, Nose and Throat'*
ODONTOIATRIA	*Dentistry*
ORTOPEDIA	*Orthopaedics*
NEUROLOGIA	*Neurology*
PSICHIATRIA	*Psychiatry*
RADIOLOGIA	*Radiology*
CARDIOLOGIA	*Cardiology*
CHIRURGIA	*Surgery*

	A	B
1		Where does it hurt? What do you feel?
2	I've a pain here. I've an abscess. I've got cramp. I've got sun-stroke. I've got diarrhoea. I've vomited. I've a temperature. I've got hay-fever. I've got 'flu. I've got high/low blood pressure.	
3	I've burnt / hurt / injured / pricked / cut myself.	
4	I need / I would like to lie down. to go to bed. to see a doctor. to see a dentist.	
5		I have to give you an injection. I have to take a sample. You need a filling.
6		How long have you had this pain? Is it the first time you've had these symptoms?
7	A week. It's the first time. It's never happened to me before.	Are you taking any medicines?
8		Are you insured ? Have you got the E111 form?
9	At what time does the surgery open?	At half past eight.
10	What are the surgery hours?	
11	I would like to see a specialist.	

How to ...

L R

*Ask for items in a chemist's and ask if they have anything for the particular ailments.

A

1 Vorrei	delle aspirine. delle bende. dei cerotti. delle compresse di ... del cotone. delle pastiglie. delle pillole. della pomata antisettica. dello sciroppo per la tosse. un disinfettante. una fascia elastica.
2 Vorrei qualcosa per	il mal di testa. le scottature. le punture d'insetti.

B

Indicazioni
Punture d'insetti, pruriti.

Posologia
2-4 applicazioni giornaliere.
Non superare le dosi consigliate.

Controindicazioni
Ipersensibilità individuale accertata verso il prodotto.

Avvertenze
Evitare ogni esposizione prolungata al sole delle regioni trattate.

3 Prenda	un cucchiaino di questa medicina tre gocce una compressa due pastiglie un antibiotico metà dose...	due volte al giorno. ogni due ore. prima dei pasti. dopo i pasti. a digiuno. la sera.

CONTROINDICAZIONI Ipersensibilità individuale accertata verso il farmaco

EFFETTI COLLATERALI In rari casi possono manifestarsi eruzioni cutanee su base allergica, vertigini.

POSOLOGIA

Sciroppo:
Alla confezione è annesso un bicchierino-dose con indicate tacche di livello rispondenti alle capacità di ml 2,5 -ml 5 - ml 10.
Bambini al di sotto di 1 anno: 1 dose da ml 2,5 ogni 4-6 ore.
Bambini da 1 a 4 anni: 1 dose da ml 2,5 o 1 dose da ml 5 ogni 4-6 ore.
Bambini oltre i 4 anni: 1 dose da ml 5 o 1 dose da ml 10 ogni 4-6 ore.
Adulti: 1 dose da ml 10, ogni 4 ore.

Compresse
Adulti: 1 compressa 3-4 volte al giorno.

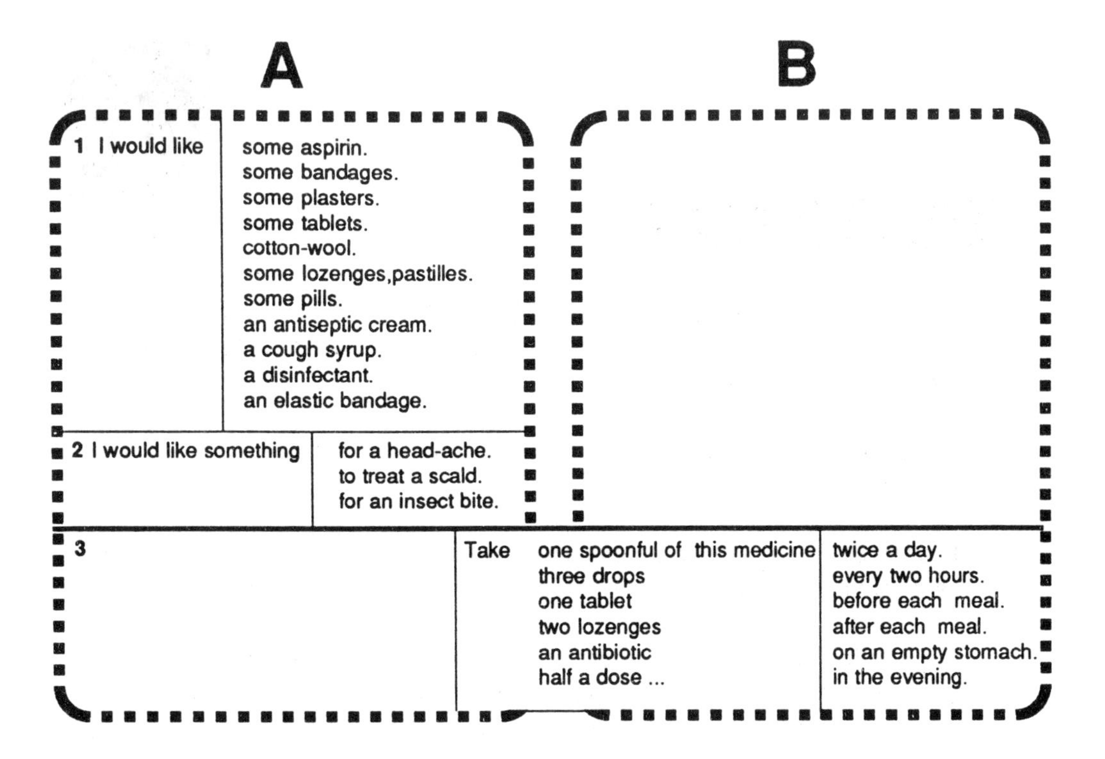

MEDICINALI (medicines)

Match the numbers and the letters : e.g. 1c, ...

1. ATTENZIONE	*a. side-effects*
2. DATA DI SCADENZA	*b. dosage*
3. DA VENDERSI SOLO DIETRO PRESENTAZIONE DI RICETTA MEDICA	*c. warning*
4. CONTROINDICAZIONI	*d. keep out of reach of children*
5. CREMA ANTISETTICA	*e. by prescription only*
6. EFFETTI COLLATERALI	*f. internal use*
7. È UN MEDICINALE	*g. avoid long-term use*
8. EVITARE L'USO PROLUNGATO	*h. expiry date*
9. LEGGERE ATTENTAMENTE LE AVVERTENZE	*i. contra-indications*
10. MODALITÀ D'USO	*j. duration*
11. PERIODO DI VALIDITA	*k. mode of application*
12. POSOLOGIA	*l. use with caution*
13. PRODOTTO DIETETICO	*m. read warnings carefully*
14. RICETTA	*n. antiseptic cream*
15. TENERE FUORI DALLA PORTATA DEI BAMBINI	*o. this is a drug*
16. USARE CON CAUTELA	*p. dietary product*
17. USO ESTERNO	*q. external use*
18. USO INTERNO	*r. prescription*

CHEMISTS AND HEALTH

- Italian chemists have business hours (**ORARIO**) established by the municipal authorities. In general they are as follows: daytime service from 8.30 a.m. to 1 p.m. and from 4 p.m. to 8 p.m.

- Each locality has one or more chemists open 24 hours **(FARMACIA DI TURNO)**.

- Every chemist displays its business hours on the door or in the window, as well as a list of other chemists in the area and when they are open.

- For a quick guide, use the telephone directory to find the 24 hour chemist service. (In big cities the first pages of the directory give special numbers you can call to find which chemists are open on a 24 hour basis.)

- Remember that chemists in Italy work 24 hour shifts in rotation. Different chemists are therefore open for 24 hours each week.

- The Italian National Health Service operates through Local Health Units (**U.S.L.**). The addresses and telephone numbers of U.S.L. are found in the telephone directory under **"UNITÀ SANITARIA LOCALE"**.

- In case of illness, accident etc., note that citizens of Common Market Countries must carry an E 111 form with them at all times (which must be obtained in the country of residence before leaving).

- If the E111 form states that the bearer is registered in his/her national health service, he/she has the right to the same health services available to Italian citizens. In order to ask for medical aid, you only need to go to the **U.S.L.** in the place where you are staying and show the E111 form.

- The main newspapers always carry a list of telephone numbers called **"TELEFONI UTILI"**. This gives the numbers of 'permanent first-aid stations', ambulances, etc..

- You can always call 113 in emergencies, or 112 for the 'Carabinieri Immediate Action Service'.

HOW TO DESCRIBE AN ACCIDENT

You should be able to describe the facts clearly and in detail:

☞ **WHAT HAPPENED**	Un incidente, un tamponamento, un investimento,
☞ **WHERE**	In via Centrale ..., davanti alla scuola,
☞ **WHEN**	Ieri sera, questa mattina, oggi alle nove, ...
☞ **HOW**	Mentre sorpassava/girava a destra, attraversava la strada, ...
☞ **HOW MANY VEHICLES/ PEOPLE INVOLVED**	Due macchine, una macchina e un pedone, un motorino, ...
☞ **INJURIES/DEATHS**	Un ferito grave, un morto e due feriti, ...
☞ **DAMAGE**	Al paraurti, alla portiera, ...
☞ **WITNESSES**	(Nome, cognome, indirizzo, telefono)
☞ **NOTES ...**	

MODEL

Ieri, alle otto e mezzo, mentre andavo a scuola, c'è stato un incidente. All'inizio di via Bonfante, un autotreno ha tamponato un furgone che non si era fermato allo stop.
Per fortuna i conducenti non si sono fatti niente, ma il furgone ha subito gravi danni. Io era l'unico testimone e ...

ACCIDENT

How to ...

L | R

- *Ask or advise someone to 'phone (doctor, police,fire brigade, ambulance, consulate, acquaintance).
- *Ask for someone's name and address.
- *Report that there has been an accident.
- *Ask or say whether it is serious.
- *Deny responsibility and say whose fault it is.
- *Describe an accident.

A

1	Bisogna chiamare	un dottore! la polizia! i vigili del fuoco! un'ambulanza! il consolato! qualche conoscente! il 113!
2	Mi dia Mi scriva	il suo nome e indirizzo !
3	C'è stato un	incidente. incendio. investimento.
4	Non molto, ma... Sì, ci sono dei feriti. Uno perde molto sangue. C'è un morto.	
5	Non è colpa mia! Mi ha attraversato la strada. Mi dispiace, non l'ho visto/a! È colpa sua! È passato con il rosso. Non si è fermato allo stop. Non ha rispettato la precedenza.	

B

PRONTO SOCCORSO

Autoambulanze:		
Croce Rossa Italiana	tel.	20234
CroceBianca	tel.	64939
Soccorso medico urgente (Ospedale Civile)	tel.	27081
CARABINIERI	tel.	25534
PUBBLICA SICUREZZA Questura centrale	tel.	61944
VIGILI URBANI	tel.	27468

È molto grave?

È falso/Non è vero!
Ho un testimone!
Vuole fare da testimone?

A				B
1	We have to call		a doctor! the police! the fire brigade ! an ambulance! the Consulate! the next of kin! 113 (the Public Emergency Assistance)!	
2	Would you	give me write down	your name and address.	
3	There has been		an accident. a fire.	Is it very serious?
	Someone has been run over.			
4	Not very, but.... Yes, there are some casualties. One of them has lost a lot of blood. Someone is dead.			
5	It's not my fault! He cut in front of me. I'm sorry, I didn't see him/her! It's his/her fault! He jumped the red light. He didn't stop to give way. He didn't give way.			It's not true! I've a witness. Do you want to be a witness?

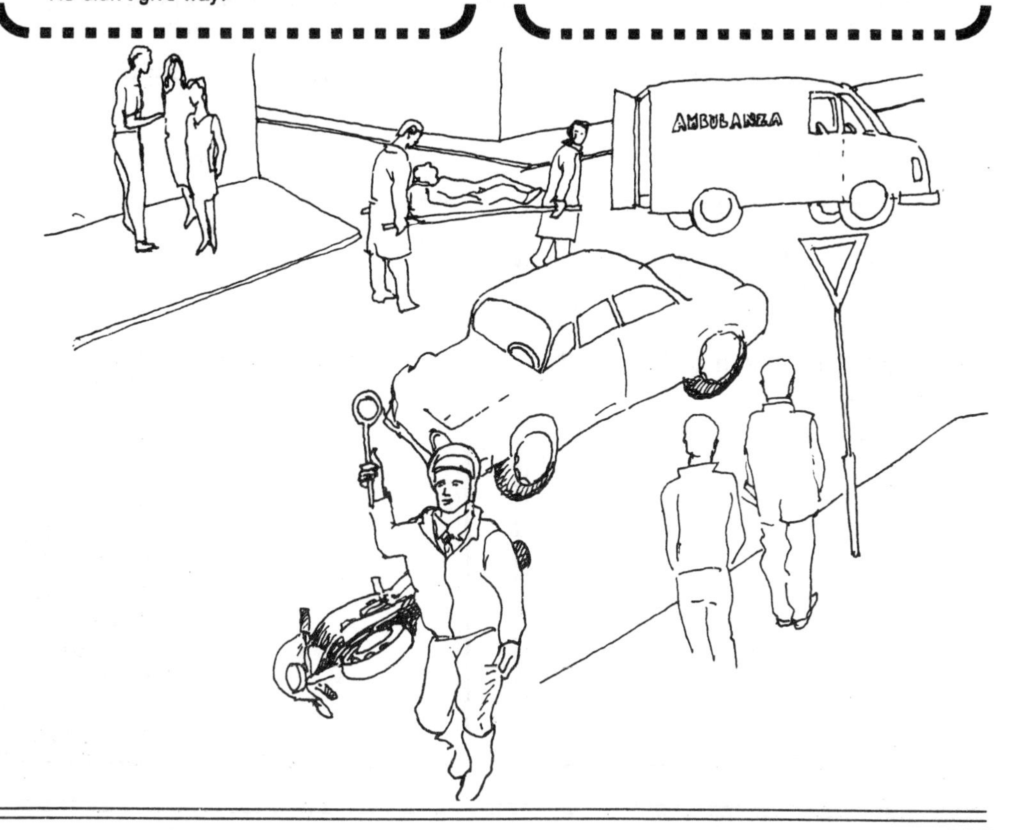

12. FREE TIME AND ENTERTAINMENT

How to ...

L		R
☐	Say what your hobbies and interests are and inquire about those of others.	☐
☐	Discuss your evening, weekend and holiday activities, and those of others.	☐
☐	Give and seek information about leisure facilities.	☐
☐	Discuss your interest and involvement in sport and sporting events; intellectual and artistic pursuits; youth clubs, societies.	☐
☐	Express simple opinions about TV, films, performances.	☐
☐	Ask if a film or event is (was) good.	☐
☐	Give and seek information about leisure facilities.	☐
☐	Find out or state the starting and finishing time (of a film or concert).	☐
☐	Find out the cost of seats or entry.	☐
☐	State or ask what sort of film or play it is.	☐
☐	Buy entry tickets for cinema (for a particular film), or theatre (for circle or stalls), concert, swimming-pool, football-ground, sport-centre.	☐

A

tuo = informal
suo = formal (more polite form)

1	Qual è il ~~tuo~~ suo	passatempo preferito hobby	?
2	Come passi il ~~tuo~~ suo Che cosa fai nel	tempo libero	?

B

Mi piace(h)	collezionare	francobolli. cartoline. adesivi.
	giocare a	dama. scacchi. carte. biliardo.
		la fotografia. l'elettronica. il modellismo. il computer. il calcio. la musica. suonare la chitarra. danza classica. passeggiare.

A

3 Che cosa fai di solito la sera?
Come passi le serate?

4 Che cosa ti piace leggere?

5 Che tipo di musica preferisci?

6 Che cosa fai durante

6 Che cosa fai durante	il fine settimana ? le vacanze?

7

7 Ci sono	teatri nella tua città? club fotografici ... circoli giovanili ... sale giochi ... associazioni culturali ...

B

Guardo la televisione.
Ascolto musica.
Esco con gli amici.
Leggo qualche libro.
Gioco a carte.
Non faccio niente di particolare.

Mi piacciono	i libri di avventura. i libri di fantascienza. i giornali sportivi. i fumetti. le riviste di moda. le riviste di musica.

(Preferisco) la musica	pop. classica. jazz. folk.

Di solito Qualche volta Spesso	vado	a	ballare. cavallo. giocare a ... pescare. teatro. trovare gli amici.
		al	cinema. circolo sportivo.
		ai	concerti.
		in	discoteca. campagna. montagna.

A

1 What is your favourite	pastime? hobby?
2 How do you spend your What do you do in your	free time ?
3 What do you usually do in the evening? How do you spend your evenings?	
4 What do you like to read?	
5 What kind of music do you prefer?	
6 What do you do	at weekends ? during the holidays?
7 Are there any	theatres in your town? photographic clubs... youth clubs... amusement arcades... cultural associations...

B

(I like)	collecting	stamps. post cards. stickers.
	playing	draughts. chess. cards. billiards.
	photography. electronics. model making. computers. football music. playing the guitar. ballet. walking.	
I watch television. I listen to music. I go out with my friends. I read a book. I play cards. Nothing in particular.		
I like	adventure books. science fiction books sports papers. comics. fashion magazines. music magazines.	
(I prefer)	pop music. classical music. jazz. folk music.	
I usually I sometimes I often	go	dancing. horse-riding. to play ... fishing. to the theatre. to see friends. to the cinema to the sports club. to concerts. to discos. to the country. to the mountains.

WORDSEARCH

How many hidden words can you find? Can you make the remaining letters into a phrase?

BICICLETTA
CALCIO
CAMPAGNA
CAMPEGGIO
CICLISMO
CINEMA
CIRCO
DAMA
DISCOTECA
GARA
GIOCO
GIORNALI
LIBRI
MONTAGNA
MUSEO
MUSICA
PALLACANESTRO
PARCO
PASSATEMPO
PATTINARE
PISTA
SCACCHI
SCI
SCIARE
SPORT
TELEVISIONE
TENNIS
VIDEO

```
A T T E L C I C I B E C I
N P A R C O C L L M N I P
G A C A I O A I T T O C A
A T P I A S L B R E I L L
P T S C R A C R O N S I L
M I T S E C I I P N I S A
A N G A T N O M S I V M C
C A I A M P O M U S E O A
I R H M A T S I P O L V N
S E C E [S C I] P R C E I E
U E C N G A R A F O T D S
M A A I L A N R O I G E T
E M C C A M P E G G I O R
P A S S A T E M P O R I O
T D O E A C E T O C S I D
```

_ _   _ _ _   _ _ _ _ _ _ _ _ _ _ _   _ _ _ _ _ _ _ _ _ _   _̀

la fotografia ☐
la musica ☐
l'elettronica ☐
lo sport ☐
la pittura ☐
la lettura ☐
.... ☐

A

8 Pratichi Fai	qualche sport ?
9 Hai partecipato a qualche competizione? Hai fatto qualche gara?	
10 Com' è andata? Come te la sei cavata?	
11 Quali sono	i programmi televisivi che preferisci? i tuoi programmi preferiti?
12 Che tipo di Quali	film ti piacciono?
13 Perché?	

B

Sì,	faccio	corsa campestre. salto in alto. nuoto. pattinaggio su ghiaccio. ciclismo.
	gioco a	calcio. tennis. pallanuoto. pallacanestro. pallamano. rugby.
Sì,	l'anno scorso un mese fa due settimane fa	ho fatto i cento metri.
Sono arrivato		primo. secondo. ultimo.
Ho vinto.		
Mi piacciono		i cartoni animati. i programmi musicali. le commedie. i documentari sulla natura. i programmi sportivi. i programmi di attualità. i teleromanzi.
Mi piacciono i film		comici. western. drammatici. avventurosi. romantici. storici. del mistero. dell'orrore. di fantascienza.
Perché		mi fanno ridere. mi divertono. mi rilassano. non sono noiosi. li guardano tutti i miei amici.

A	B
14 Ti è piaciuto il film di Fellini? Gli è piaciuta la commedia di Goldoni? Le sono piaciuti i cartoni animati? Vi sono piaciute le canzoni del Festival di San Remo?	(Non) mi è piaciuto. gli è piaciuta. le sono piaciuti. ci sono piaciute.
15 A che ora inizia / finisce il prossimo spettacolo?	Comincia alle otto. Termina alle nove e mezzo.
16 Che film c'è stasera?	
17 Chi è il regista / l'attore principale / l'attrice principale ? Chi sono gli interpreti?	
18 Vorrei un biglietto.	Per la platea o galleria? (Mi dispiace) è tutto esaurito.

A	B
8 Do you do any sport?	Yes, I do cross-country running... / the high-jump. / swimming. / ice-skating. / cycling. Yes, I play football. / tennis. / water-polo. / basket-ball. / hand-ball. / rugby.
9 Have you taken part in any competitions? Have you entered any races?	Yes, last year / a month ago / two weeks ago I ran the 100 metres.
10 How did it go? How did you get on?	I finished first. / second. / last. I won.
11 Which are the television programmes that you prefer? Which are your favourite programmes?	I like cartoons. / musical programmes. / plays. / documentaries on nature. / sports programmes. / current affairs programmes. / serials.
12 What / Which kind of film do you like?	I like comedies. / westerns. / dramas. / adventures films. / romantic films. / historical films. / mystery films. / horror films. / science fiction films.
13 Why?	Because they make me laugh. / they amuse me. / they help me relax. / they are not boring. / all my friends watch them.
14 Did you like Fellini's film? / Did he like Goldoni's play? / Did she like the cartoons? / Did you like the songs at the San Remo festival?	I did/didn't like it. / He did/didn't like it. / She did/didn't like them. / We did/didn't like them.
15 At what time does the next show start? / finish?	It starts at eight. / finishes at half past nine.
16 What film is on tonight?	
17 Who is the director? / leading actor? / leading actress? Who are the actors?	
18 I would like a ticket.	For the stalls or balcony? (I'm sorry), It's sold out.

COMMON WORDS IN SPORTS

SPORTS

ATLETICA LEGGERA	*athletics*
AUTOMOBILISMO	*motor racing*
BASEBALL	*base-ball*
CALCIO	*football*
CAMPESTRE	*cross-country race*
CENTO METRI	*one-hundred metres*
CICLISMO	*cycling*
CRICKET	*cricket*
FONDO (gara di...)	*long distance race*
GOLF	*golf*
HOCKEY SU PRATO/GHIACCIO	*hockey/ice hockey*
JUDO	*judo*
KARATÈ	*karate*
LOTTA	*wrestling*
MARATONA	*marathon*
MARCIA	*walking*
MOTOCICLISMO	*motor-cycling*
MOTOCROSS	*motocross*
PALLACANESTRO	*basketball*
PALLANUOTO	*water-polo*
PALLAMANO	*handball*
PALLAVOLO	*volleyball*
PATTINAGGIO A ROTELLE/SU GHIACCIO	*roller-skating/ice-skating*
PUGILATO	*boxing*
RUGBY	*rugby*
SALTO CON L'ASTA	*pole-vault*
SALTO IN ALTO	*high jump*
SALTO IN LUNGO	*long jump*
SCI	*skiing*
SOLLEVAMENTO PESI	*weight lifting*
SPORT ACQUATICI	*water sports*
STAFFETTA	*relay race*
TENNIS	*tennis*

DIALOGUE

1.

A Qual è il tuo passatempo preferito?
B La fotografia.
A Che cosa ti piace fotografare?
B Mi piacciono molto i paesaggi.

2.

A Che cosa fai di solito la sera?
B Guardo la televisione o leggo qualche libro.
A Ti piace leggere?
B Sì, abbastanza.

3.

A Che tipo di musica preferisci?
B La musica pop.
A Qual è il tuo cantante preferito?
B Senz'altro ...! È il mio idolo!

4.

A Che cosa fai durante il fine settimana?
B Dipende, spesso vado a ballare con i miei amici.
A Non vai mai ai concerti?
B Sì, qualche volta.

5.

A Pratichi qualche sport?
B Sì, faccio corsa e salto in alto.
A Hai partecipato a qualche gara?
B Sì, l'anno scorso ho fatto i cento metri.
A E come è andata?
B Sono arrivato secondo.

6.

A Che tipo di film preferisci?
B Mi piacciono i film comici.
A Perché?
B Mah! Non saprei.... Perché mi divertono.

7.

A Ti è piaciuto il film?
B Non molto.
A Come mai?
B Era troppo lungo e noioso.

8.

A A che ora inizia il prossimo spettacolo?
B Comincia alle otto.
A E quanto dura?
B Un'ora e cinquanta.

9.

A Vorrei un biglietto.
B Per la platea o la galleria?
A Quanto costa in galleria?
B Diecimila lire.
A Va bene. Ecco a lei.

MUSEI

I musei sono generalmente aperti dalle 9.00 alle 14.00 e, per alcuni anche dalle 17.00 alle 20.00, dal martedì alla domenica.

I musei italiani sono chiusi il lunedì; se il lunedì è una vacanza, il martedì successivo è giorno di chiusura.

Altri giorni di chiusura sono: il primo di gennaio, Pasqua, il 25 aprile, il primo di maggio, la prima domenica di giugno, il 15 agosto e il 25 dicembre.

Di solito l'ingresso è gratuito per i ragazzi (accompagnati) sino ai 12 anni non compiuti e libero per tutti, due giorni feriali e due domeniche al mese (generalmente il primo e il terzo sabato e la seconda e la quarta domenica del mese).

PASQUA *Easter*
GRATUITO *free*
GIORNI FERIALI *weekdays*

13. RELATIONS WITH OTHERS

How to ...

L		R
☐	State whether or not you understand.	☐
☐	Ask someone to repeat.	☐
☐	Ask for and understand the spelling out of names, places, etc.	☐
☐	Ask if someone speaks English or Italian.	☐
☐	State how well or how little you speak and understand Italian.	☐
☐	Ask what things are called in Italian and English.	☐
☐	Ask what words or phrases mean.	☐
☐	Say you do not know.	☐
☐	Say you have forgotten.	☐
☐	Ask whether, or state that, something is correct.	☐
☐	*Ask someone to explain something, to correct mistakes.	☐
☐	* Ask how something is pronounced.	☐
☐	*Say how long you have been learning Italian and which languages you know.	☐
☐	Say whether you are member of any clubs; if so, what clubs and what activities are involved.	☐
☐	Give information about your friends.	☐
☐	Say if you have any friends in Italy.	☐

A

1	Capisci ...? Hai capito?	
2	Puoi	ripetere? parlare più lentamente?

B

Sì,	capisco ho capito	tutto. quasi tutto.
Non	capisco ho capito	(molto bene). (quasi niente).

A				B	
3	Come si scrive "Ivrea"?			(Si scrive)	I, vu, erre, e, a. Imola, Venezia, Roma, Empoli, Ancona.
4	Parli inglese ? Conosci l' italiano?			Un po'. Non molto bene. Me la cavo. Così, così. Sì, molto bene. Abbastanza.	
5	Come si dice	'forchetta' in inglese? 'spoon' in italiano?		Si dice	'fork'. 'cucchiaio'.
6	Che cosa	vuol dire questa parola significa questa frase	?	(Mi dispiace),	non lo so. non la conosco. non l'ho mai sentita. non me la ricordo più. me la sono dimenticata.
7	È corretto? Si può dire ...?				
8	Mi spieghi che cos'è	il ginnasio il pesto	?		
9	Mi	puoi correggere gli errori? correggi, se sbaglio? dici quando faccio qualche errore?			
10	Come si pronuncia questa parola?				

11						
Da	quanto tempo	studi	l'italiano l'inglese il francese lo spagnolo il tedesco il russo il cinese l'arabo	?	Da	un mese. sei mesi.
Per		hai studiato			Per	un anno. due anni.

12				
Sei membro di	qualche	club? circolo? associazione?	Sì,	della Lega Ambiente. del W.W.F. dello Sporting club.
Sei iscritto a				al Club alpino. al Circolo velico.

A

1	Do you understand? Have you understood?	
2	Can you	repeat? speak more slowly?
3	How do you spell 'Ivrea'?	
4	Do you speak English? Do you know Italian?	
5	How do you say	'forchetta' in English? 'spoon' in Italian?
6	What does this word mean? What does this sentence mean?	
7	Is it right? Can you say...?	
8	Can you explain to me what	'ginnasio' is? 'pesto' is?
9	Can you	correct my mistakes? correct me, if I make a mistake? tell me when I make mistakes?
10	How do you pronounce this word?	
11	How long	have you been studying have you studied
		Italian? English? French? Spanish? German? Russian? Chinese? Arabic?
12	Are you a member of any Are you enrolled in any	clubs? associations?

B

Yes,	I understand everything. I've understood almost everything.
No,	I don't understand (very well). I've understood (almost nothing).
It's spelt I,v,r,e,a. Imola,Venezia, Roma, Empoli, Ancona.	
A bit. Not very well. I can manage. So so. Yes, very well. Fairly well.	
'Fork'. 'Cucchiaio'.	
Sorry,	I don't know. I do not know it. I 've never heard of it. I don't remember. I have forgotten .
(For)	a month. six months. a year. two years.
Yes, of	Friends of the Earth. the W.W.F. the sports club. the alpine club. the sailing club.

A	B
13 Che cosa fate? Quali sono le attività più importanti?	Conferenze. Proiezioni di diapositive. Gare. Escursioni.
14 Hai molti amici / Hai qualche amico in Italia? / Inghilterra?	No, purtroppo non conosco (quasi) nessuno. Sì, ho molti amici.
15 Come sono? Sono simpatici? Mi parli un po' dei tuoi amici ...?	

13 What do you do? Which are the most important activities?	Conferences. Slide shows. Races. Excursions.
14 Have you many friends in Italy? Have you any friends in England?	No, unfortunately I hardly know anyone. Yes, I have many friends.
15 What are they like? Are they nice? Will you tell me something about your friends?	

MAKING ACQUAINTANCES

How to ...

L		R
☐	Greet someone and respond to greetings.	☐
☐	Ask how someone is and reply to similar inquiries.	☐
☐	Introduce yourself	☐
☐	*Introduce an acquaintance to someone else.	☐
☐	State that you are pleased to meet someone.	☐
☐	Give, receive and exchange gifts.	☐

A

1	Buongiorno Buonasera Buonanotte Arrivederci Arrivederla Ciao Salve Benvenuto		!
2	A	più tardi. stasera. presto. domani.	
3	Come	stai sta va te la passi ti va la vita	?

B

Non c'è male.
Abbastanza bene.
Bene, grazie e tu/Lei?
Ottimamente!
Meglio di così ...!
Si tira avanti!
Non mi posso lamentare
Non molto bene ...
Insomma ...!
Potrebbe andare meglio!

A	B
4 (Ciao) mi chiamo Sergio. Sono italiano. Sono di Firenze.	Ciao, io sono Paolo. Salve!
	Piacere! Molto lieto/a!
5 (Ciao), / ti presento / questa è / Monica.	
(Buongiorno) , Le presento il signor Galasso.	
6 Questo è per te. È un pensierino per te.	Grazie! Ma no, non dovevi! Non ti dovevi disturbare!

7		
Buongiorno	si usa come saluto	per lo più il mattino o nel pomeriggio.
Buonasera		di solito nel tardo pomeriggio o la sera.
Buonanotte		di solito lasciandosi a tarda ora o prima di andare a letto.
Arrivederci		lasciandosi.
Arrivederla		lasciandosi (formale).
Ciao		amichevole, incontrandosi o lasciandosi.

A

1	Good morning Good evening Good night Good-bye Good-bye Hello/Good-bye Hello Welcome	!
2	See you	later. tonight. soon. tomorrow.
3	How are you How are you How are you doing How is it going How's life	?
4	(Hello) I'm Sergio. I'm Italian. I'm from Florence.	
5	(Hello), this is Monica. (Good morning) may I introduce Mr. Galasso	
6	This is for you. It's a little something for you.	

B

Not bad.
Quite well.
Very well, thank you and you?
Very well!
Couldn't be better....!
Life goes on.
I can't complain.
Not too good...
Well....!
Could be better!

Hello, I'm Paolo.
Hello!

How do you do?
Pleased to meet you.

Thanks!
You shouldn't have (done it)!
You shouldn't have bothered.

7	Buongiorno	is used	as a greeting in the morning or afternoon.
	Buonasera		usually late in the afternoon or in the evening.
	Buonanotte		usually when leaving, late in the evening or before going to bed.
	Arrivederci		when leaving.
	Arrivederla		when leaving (formal)
	Ciao		as a friendly greeting when meeting or leaving.

ARRANGING A MEETING OR AN ACTIVITY

How to ...

L		R
☐	Find out what a friend wants to do.	☐
☐	Ask what is on TV or at the cinema.	☐
☐	Express preferences for an activity.	☐
☐	Invite someone to go out (stating when, as appropriate).	☐
☐	Invite someone or suggest going to a particular place, event or visit.	☐
☐	Accept or decline invitations.	☐
☐	State that something is possible, impossible, probable or certain.	☐
☐	Ask about, suggest or confirm a time and place to meet.	☐
☐	Apologise for late arrival.	☐

A

1		
Che cosa	vuoi preferisci ti andrebbe di	fare stasera?

2 Che cosa	c'è fanno danno	alla televisione al cinema	?

3	
Andiamo Ti va di andare Ti andrebbe di andare Che ne dici di andare Vuoi venire	al cinema? al concerto? a teatro ? in discoteca? a cena (fuori)?

B

Mah! Non so ...
Per me è lo stesso. Decidi tu.
Potremmo andare al cinema.

(Vorrei)	guardare la televisione. uscire. fare due passi. prendere una boccata d'aria. andare a trovare Silvia.

Niente d'interessante.
Un film di Antonioni.
Un film di cartoni animati.

Sì, (volentieri).
È una magnifica idea!

Mi dispiace,	ma stasera non posso. aspetto una telefonata. domani ho un esame. sono invitato/a ... ho un impegno.

A

B

A		B	
4 A che Dove	ora ci vediamo?	Ci vediamo Ti aspetto Ti va bene	alle dieci? davanti al cinema?
5 Scusa il ritardo, ma	c'era una coda incredibile. mi ha telefonato Franco. avevo dimenticato i soldi. non trovavo più le chiavi. il motorino non partiva. non riuscivo a trovare la strada. mi è capitato un imprevisto.		

1 What	do you do you would you like	want to do prefer doing to do	this evening?	Oh, I don't know ... It's all the same to me. You decide. We could go to the cinema.	
				I'd like	to watch TV. to go out. to go for a short walk. to get a breath of fresh air. to go and see Silvia.
2 What's on	TV ? at the cinema?			Nothing interesting. A film by Antonioni. A cartoon film.	
3 Shall we go Would you like to go Would you like to go What about going Would you like to go	to the cinema? to a concert? to the theatre? to a disco? out to dinner?			Yes, (lovely!) It's a lovely idea!	
				I'm very sorry, but	I can't tonight. I'm expecting a call. I've got an exam tomorrow. I've been invited ... I've got an engagement.
4 At what time Where	are we going to meet?			Shall we meet Shall I wait for you How about	at 10 o'clock? in front of the cinema?
5 Sorry for the delay, but	there was a long queue. Franco phoned me. I had forgotten my money. I could not find the keys. my motor-cycle wouldn't start. I couldn't find the way. something unexpected happened.				

L R

How to apologise and thank

A

1	Scusa! Scusi! Mi dispiace!	1	Sorry! I apologise! I am sorry!
2	Scusami, / Scusa, — non l'ho fatto apposta / non ti avevo visto / non mi sono ricordato / mi sono dimenticato / ma ho avuto molte cose da fare / ero distratto !	2	Sorry, — I didn't do it on purpose / I hadn't seen you / I didn't remember / I forgot / but I had a lot to do / I was absent- minded !
3	Grazie (mille)! Grazie, sei (stato) molto gentile. Ti ringrazio!	3	(Many) thanks. Thanks, you are (have been) very kind. Thank you.
4	Prego! Di niente! È stato un piacere! Ma figurati	4	Don't mention it! Not at all. It was a pleasure. You're welcome.

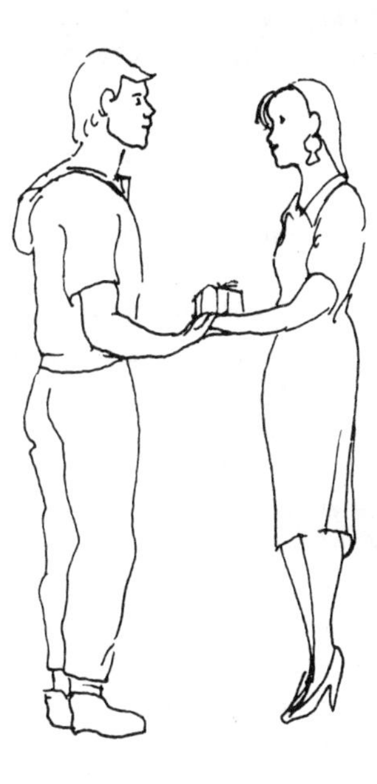

HOW TO EXPRESS:

Surprise

- Davvero?
- No?!
- Che sorpresa! Non mi aspettavo di vederti qui!
- Non credo ai miei occhi!

Pleasure

- Che piacere vederti!
- Ma guarda chi si (ri)vede!
- Mi fa proprio piacere che tu sia riuscito a venire.

Regret

- Mi dispiace!
- Peccato!
- Mi dispiace | di non poter venire.
  dover rifiutare, ma proprio non posso.
  non poterti aiutare.

- È un peccato che lui non venga.
- Non volevo offenderla.

Doubt or uncertainty

- Non credo che lui arrivi in tempo.
- Ho i miei dubbi che riesca a passare l'esame.
- Dubito che sia già arrivato a casa.
- Non sono sicuro che ti abbia visto.

- Ce la farà a trovare la strada?
- Vieni anche tu alla festa?
- Mah ...!
- Non saprei .../Non sono sicuro .../Forse ...

Certainty

- Sono sicuro che il film ti piacerà.
- Sono convinto che conosci Maria.
- Ci divertiremo senz'altro.
- È ovvio che non gli piace stare con noi.
- Sono certo che non verrà alla festa

Surprise

- Really?
- No?
- What a lovely surprise! I didn't expect to see you here!
- I don't believe my eyes!

Pleasure

- How nice to see you!
- Well, look who it is!
- I'm really happy that you were able to come.

Regret

- I'm sorry!
- What a pity!

- I'm sorry | I can't come.
I have to refuse but I really can't.
I can't help you.

- It's a pity he's not coming.
- I didn't want to offend you.

Doubt or uncertainty

- I don't think he will arrive in time.
- I doubt he/she will be able to pass the exam.
- I doubt he has already arrived home.
- I'm not sure he/she saw you.

- Will he/she manage to find the road?
- Are you coming to the party too?
- I don't know...
- I wouldn't know.../I'm not sure.../Maybe....

Certainty

- I'm sure you'll like the film.
- I'm convinced you know Maria.
- We'll certainly have a great time.
- It's obvious he doesn't like being with us.
- I'm certain he/she wants to come to the party.

DIALOGUES

1.

A. Capisci tutto quando parli con il professore?
B. Sì, capisco quasi tutto.

2.

A. Hai capito l'annuncio?
B. No, non ho capito quasi niente.

3.

A. Parli italiano?
B. Un po'.
A. Come l'hai imparato?
B. L'ho studiato per sei mesi a scuola.

4.

A. Conosci l'italiano?
B. Così, così.
A. Da quanto tempo lo studi?
B. Da un mese.

5.

A. Sai come si dice 'spoon' in italiano?
B. Si dice 'cucchiaio'.
A. E che cosa vuol dire 'forchetta'?
B. Beh, è facile. Vuol dire 'fork'.

6.

A. Sei membro di qualche club?
B. Sì, sono iscritto al Circolo velico.
A. Che cosa fate?
B. Organizziamo gare, facciamo feste, escursioni e molte altre attività

7.

A. Hai molti amici in Italia?
B. Sì, soprattutto a Genova.
A. E come sono?
B. Sono molto simpatici.
A. Parli in italiano con loro?
B. No, purtroppo vogliono parlare sempre in inglese.

8.

A. Ciao, mi chiamo Fabio.
B. Ciao, io sono Paul.
A. Sei inglese?
B. Sì, sono di Londra? E tu?
A. Io sono di Firenze.

9.

A. Questa è Emanuela.
B. Piacere, io mi chiamo Anna.
A. Di dove sei?
B. Sono di Pisa.

10.

A. Questo è per te.
B. Grazie! Ma non dovevi disturbarti.
A. E solo un pensierino.

11.

A. Che cosa vuoi fare stasera?
B. Mah! Non so ...
A. Ti va di andare in discoteca?
B. Sì, è una magnifica idea.

12.

A. Vuoi venire al cinema con noi?
B. Sì, volentieri. Che cosa danno?
A. Un film di fantascienza.
B. Va bene. A che ora ci vediamo?
A. Ci potremmo incontrare alle nove davanti al cinema?
B. Sì, d'accordo. Ciao, a più tardi.

Ask and Answer the questions below

INFORMAL (tu)	FORMAL (Lei)
Hai capito la lezione?	Ha capito la lezione?
Puoi ripetere, per favore?	Può ripetere, per favore?
Parli inglese?	Parla inglese?
Mi correggi, se sbaglio?	Mi corregge, se sbaglio?
Da quanto tempo studi l'italiano?	Da quanto tempo studia l'italiano?
Per quanto tempo hai studiato il francese?	Per quanto tempo ha studiato il francese?
Hai molti amici in Italia?	Ha molti amici in Italia?
Che cosa vuoi fare stasera?	Che cosa vuole fare stasera?
Ti andrebbe di andare al cinema?	Le andrebbe di andare al cinema?
Preferisci andare a teatro?	Preferisce andare a teatro?

14. EDUCATION AND FUTURE CAREER

EDUCATION

How to exchange information and options about:

L R

- [ ] Your present school and its facilities.
- [ ] Daily Routines:
  - When school begins and ends;
  - how many lessons there are,
  - how long do they last;
  - break times;
  - lunch times;
  - homework.
- [ ] School year and holiday.
- [ ] Subjects studied (including preferences).
- [ ] Opportunities for recreational or sporting activities, and trips.
- [ ] *Discuss what sort of education you have had or propose to continue with, at what types of educational institution.

FUTURE CAREER

How to discuss your plans and hopes for the future including:

L R

- [ ] Your plans for the coming months.
- [ ] Your plan for the time after completion of your formal education.
- [ ] Where you would like to work.

A

1 Che scuola frequenti?

B

Frequento	le medie.
	il ginnasio.
	il liceo classico.
	il liceo scientifico.
	il liceo linguistico.
	le magistrali.
	l'istituto d'arte.
	l'istituto professionale.
	l'istituto tecnico.

A / B

A	B
2 Che anno frequenti? / fai?	Il primo / secondo / terzo / quarto / quinto (anno).
3 Che classe fai?	La prima. / seconda.
4 Dove si trova la tua scuola?	È in Piazza Roma. / Via S. Lucia. / centro.
5 È una scuola grande / piccola ?	È abbastanza grande.
6 È una scuola statale / privata ?	È statale.
7 Le classi sono numerose?	No, siamo in genere una ventina.
8 È una buona scuola?	Sì, gli insegnanti sono molto bravi. / ha un'ottima reputazione. No, ci sono troppi iscritti. / è carente di molte strutture.
9 Ci sono molte attrezzature sportive?	C'è una palestra. / una piscina. / un campo da tennis. / pallavolo. / pallacanestro.
10 A che ora iniziano / finiscono le lezioni ?	(Iniziano) alle otto. (Finiscono) alle tredici.
11 Quante ore di lezione avete?	(Di solito) cinque ore.
12 Quanto dura una lezione?	Un'ora. Cinquanta minuti.
13 Quanto dura l'intervallo?	Dieci minuti. Un quarto d'ora.

A | B

A	B
1 What school do you attend?	I attend the 'scuola media'. / 'ginnasio'. / 'liceo classico'. / 'liceo scientifico'. / 'liceo linguistico'. / 'istituto magistrale'. / 'istituto d'arte'. / 'istituto professionale'. / 'istituto tecnico'.
2 What year are you in?	The first / second / third / fourth / fifth (year).
3 What class are you in?	The first. / second.
4 Where is your school?	It is in Piazza Roma. / Via S. Lucia. / the centre.
5 Is your school big ? / small?	It is quite large.
6 Is it a state / private school ?	It is a state school.
7 Are the classes large?	No, there are usually about twenty of us.
8 Is it a good school?	Yes, the teachers are very good. / it has an excellent reputation.
	No, there are too many students / it is lacking in many facilities.
9 Are there many sports facilities?	There is a gymnasium. / swimming pool. / tennis court. / volley ball court. / basket-ball court.
10 At what time do the lessons start ? / finish?	(They start) at eight. / (They finish) at one.
11 How many hours (of lessons) do you have?	(Usually) five hours.
12 How long does a lesson last?	One hour. / Fifty minutes.
13 How long does the break last?	Ten minutes. / A quarter of an hour.

WORDSEARCH

Do you know which is the longest adverb in Italian?

- Cross out, in the box of letters, all the words listed at the top of the page;
- The words read horizontally, vertically or diagonally and may run either forwards or backwards, some letters being used more than once.
- The remaining letters, running from left to right, will give you the solution.

Key: _

AULA
BANCO
BENE
BIBLIOTECA
BIOLOGIA
BRAVO
CATTEDRA
CERTIFICATO
CLASSE
COMPITO
CONDOTTA
CORSO
DIARIO
DIPLOMA
DISEGNO
ESAME

FISICA
FRANCESE
GARA
GINNASTICA
GITA
IMPARARE
INGLESE
INSEGNANTE
ITALIANO
LABORATORIO
LAUREA
LAVAGNA
LIBRO
LINGUA
MAESTRO
MALE

MATEMATICA
MATERIA
MATITA
ORALE
PENNA
PRESIDE
PROFESSORESSA
PROMOSSO
RIGA
RIPASSARE
SCIENZE
SCUOLA
SPAGNOLO
STORIA
TEDESCO
TRADUZIONE
VOTO

P	R	O	M	O	S	S	O	P	O	V	A	R	B
I	B	A	N	C	O	C	C	A	C	I	S	I	F
N	I	R	S	M	E	U	S	E	N	E	B	N	R
S	T	A	T	A	S	O	E	O	R	L	B	G	A
E	A	U	O	T	S	L	D	T	I	A	I	L	N
G	L	G	R	E	A	A	E	O	P	V	O	E	C
N	I	N	I	R	L	E	T	V	A	A	L	S	E
A	A	I	A	I	C	E	C	I	S	G	O	E	S
N	N	L	P	A	C	I	T	E	S	N	G	E	E
T	O	I	E	A	C	O	V	O	A	A	I	N	M
E	L	B	S	I	O	D	N	S	R	C	A	O	A
G	A	R	A	S	M	I	I	D	E	A	A	I	T
I	S	O	M	A	P	S	M	I	O	T	T	Z	E
N	L	C	E	N	I	E	P	P	L	T	I	U	M
N	A	I	I	N	T	G	A	L	O	E	T	D	A
A	U	L	A	E	O	N	R	O	N	D	A	A	T
S	R	M	E	P	N	O	A	M	G	R	M	R	I
T	E	E	L	A	M	Z	R	A	A	A	O	T	C
I	A	C	O	R	S	O	E	V	P	O	I	L	A
C	O	R	A	L	E	M	A	E	S	T	R	O	M
A	T	I	G	P	R	E	S	I	D	E	A	A	E
C	E	R	T	I	F	I	C	A	T	O	I	G	N
L	A	B	O	R	A	T	O	R	I	O	D	I	T
E	A	S	S	E	R	O	S	S	E	F	O	R	P

A	B
14 A che ora pranzate?	All'una. Alla mezza.
15 Dove pranzi ? / mangi?	A scuola. / casa.
16 Com'è la mensa della scuola?	Ottima! Non mi piace: si mangia male.
17 Ti danno molti compiti in classe / a casa ?	Troppi! Abbastanza! Sì, soprattutto di matematica, ...
18 Sono molto severi / simpatici / bravi / stretti di voti i tuoi insegnanti?	
19 Vi danno punizioni?	Raramente, quando facciamo 'baccano'.
20 Quali?	In genere, qualche esercizio in piu.
21 Quando inizia / finisce la scuola in Italia?	(Inizia) verso il 20 settembre. (Finisce) verso il 15 giugno.
22 Hai / Fai molte vacanze durante l'anno?	Due settimane a Natale. Una settimana a Pasqua. Tre mesi in estate.
23 Che materie studi?	(Studio) italiano. francese. tedesco. spagnolo. inglese. matematica. scienze. storia. geografia. religione. educazione tecnica. educazione artistica. educazione fisica educazione musicale.

A		B	
14 What time do you have lunch?		At	one. half past twelve.
15 Where do you	have lunch? eat?	At	school. home.
16 What is the school canteen like?		Excellent! I don't like it: you eat badly there.	
17 Are you given much	class-work? home-work?	Too much! Quite a lot! Yes, mostly Mathematics, ...	
18 Are your teachers very	strict ? nice? good? hard markers?		
19 Do they punish you?		Rarely, when we are noisy.	
20 What sort?		Usually, extra exercises.	
21 When does school	start finish in Italy ?	(It starts) about the 20th of September. (It finishes) about the 15th of June.	
22 Do you have many holidays during the year?		Two weeks at Christmas. One week at Easter. Three months in the summer.	
23 What subjects do you study?		(I study)	Italian. French. German. Spanish. English. Maths. Science. History. Geography. Religion. Technical education. Art. P.E. Music.

ISTITUTO TECNICO COMMERCIALE - RUFFINI Anno scolastico 1990-1991

Orario delle lezioni Classe 1 B

ORA / Lunedì		martedì	mercoledì	giovedì	venerdì	sabato
1	Matematica	Fisica	Stenografia	Inglese	Storia	Scienze
2	Inglese	Dattilografia	Francese	Matematica	Grammatica	Inglese
3	Scienze	Geografia	Matematica	Fisica	Scienze	Geografia
4	Italiano	Storia	Matematica	Italiano	Dattilografia	Ed. Fisica
5	Ed.Fisica	Francese	Italiano	Italiano	Religione	Francese

1) 8 - 9 2) 9 - 10 3) 10 - 10.50 Intervallo 10.50 - 11.05 4) 11.05 - 12 5) 12 - 12.55

A	B
24 Qual è la tua materia preferita? Quali sono le tue materie preferite?	
25 Ti piace la matematica / geografia / letteratura ?	Sì, mi piace. No, non mi piace.. Preferisco...
26 Fate delle gite durante l'anno ? attività sportive? competizioni sportive?	Sì, facciamo la settimana bianca. nuoto. la campestre.
27 Quali sono i tuoi progetti per il futuro?	Andrò all'università. a lavorare ...
28 Che cosa farai, quando avrai finito la scuola?	Cercherò un impiego. Andrò un anno in Francia. (Non lo so) vedremo ...
29 Che lavoro ti piacerebbe fare? Che attività ti piacerebbe svolgere?	Mi piacerebbe fare l'architetto. il giornalista. il parrucchiere. il meccanico. l'insegnante.
30 Hai già lavorato ? Che lavori hai fatto?	Non ho mai lavorato. Ho fatto l'interprete...
31 Pensi che sia piu faticoso studiare che lavorare? sia meno faticoso studiare che lavorare? studiare sia faticoso come lavorare?	
32 Quanti esami dovrai fare quest'anno?	Dovrò fare l'esame di italiano. maturità.
33 In bocca al lupo!	
34 Sono stato bocciato. rimandato in... promosso.	Mi dispiace!/Come mai? Che seccatura!/Peccato! Complimenti!/Congratulazioni!

A	B
24 Which is your favourite subject? Which are your favourite subjects?	
25 Do you like Mathematics / Geography / Literature ?	Yes, I like it. No, I do not like it. I prefer ...
26 Do you go on any trips during the year / Do you do any sporting activities / Do you do any competitive sports ?	Yes, we go skiing for a week. / we go swimming. / we do cross-country running.
27 What are your plans for the future?	I am going to university. / work ...
28 What will you do when you have finished school?	I will look for a job. I am going to France for a year. (I don't know) we'll see ...
29 What kind of / What work / activity would you like to do?	I would like to be an architect. / a journalist. / a hairdresser. / a mechanic. / a teacher.
30 Have you had a job before? What work have you done?	I have never worked before. I worked as an interpreter.
31 Do you think that studying is more tiring than working? / is less tiring than working ? / is as tiring as working?	
32 How many exams will you have to take this year?	I have to take the Italian exam. / school-leaving exam.
33 Good luck!	
34 I failed (the year). I have to repeat an exam... I passed (the year).	I am sorry!/How come? What a drag/What a pity! Congratulations!

ISTRUZIONE *(EDUCATION)*

NURSERY SCHOOL — **SCUOLA MATERNA**

PRIMARY SCHOOL — **SCUOLA ELEMENTARE:** primary school is compulsory from the age of six and lasts five years

LOWER SECONDARY SCHOOL — **SCUOLA MEDIA:** the 'scuola media' is compulsory and lasts three years.

UPPER SECONDARY SCHOOLS

LICEO CLASSICO: The Classical Liceo is a five year course: the first two years are called 'GINNASIO' and the other three are called 'LICEO'.

LICEO SCIENTIFICO: the Scientific Liceo is a five year course.

LICEO LINGUISTICO: the Linguistic Liceo is a five year course.

ISTITUTO MAGISTRALE: is a four year course aimed at the training of primary school teachers.

SCUOLA MAGISTRALE: is a three year course aimed at the training of nursery school teachers.

LICEO ARTISTICO: the Artistic Liceo is a four year course.

CONSERVATORIO DI MUSICA: the Music College offers various courses from five to ten years.

ISTITUTI TECNICI (five year courses):

Istituto tecnico aeronautico
(Aeronautical Technical College).
Istituto tecnico agrario
(Agrarian Technical College).
Istituto tecnico per geometri
(Quantity Surveyors Technical College).
Istituto tecnico industriale
(Industrial Technical College).
Istituto tecnico nautico
(Maritime Technical College).
Istituto tecnico per il turismo
(Technical College for Tourism).
Istituto tecnico per periti aziendali e corrispondenti in lingue estere
(Technical College for Administrative Staff and foreign commercial correspondence).

ISTITUTI PROFESSIONALI (three year courses):

Istituto professionale per l'agricoltura
(Training College for Agriculture).
Istituto professionale alberghiero
(Training College for Hotel Industry).
Istituto professionale per le attività marittime
(Training College for Maritime Activities).
Istituto professionale per il commercio
(Training College for Commerce).
Istituto professionale per l'industria e l'artigianato
(Training College for Industry and Crafts).

UNIVERSITY — **UNIVERSITÀ**

To the teacher

Here, as a suggestion, is a possible way of utilizing the material in class (some stages can be omitted if circumstances allow).

☛
1. Students look at the picture relating to the subject being discussed and try to answer simple questions (Chi? Che cosa? Dove?...);
2. Students listen to the text, without looking at it (the teacher can either use the cassette or read a short dialogue based on the substitution tables);
3. Explanation (using, where possible, pictures and/or mime);
4. Spoken Comprehension questions (listening again to short phrases).

☛
5. Chorus work (for pronunciation and intonation practice);
6. Teacher asks students questions (Using 'A' column);
7. Students try to answer in chorus (book closed but with stimulus from the picture or teacher's gestures)
8. Teacher repeats the answer.

☛
9. Teacher gives the answer (this time using 'B' column)
10. Students ask the questions (book closed);
11. Teacher repeats the questions.

☛
12. Students listen again to short opening dialogue, this time reading the text;
13. Students work in pairs as in 6), 7), 8), 9) with the help of the text and, alternatively, covering 'A' and 'B' columns;
14. Students in pairs act out the dialogue (with visual aids);
15. Students work in pairs and (with the help of the substitution tables and the vocabulary list by topics) make up their own dialogue;
16. Students and the teacher discuss the dialogue, adding extra phrases where suitable and, at an early stage, correcting only mistakes which interfere with communication;
17. Students work in pairs practising the dialogue and then acting out in front of the class (it's useful to record these dialogues and listen to them afterwards).

☛
18. Students exchange their proposed dialogues and do as in 17) above.
19. Exercises in: form-filling, questionnaires, completion of a model letter , write/ answer a message, reply to a letter, write a letter, etc.

☛
20. Think about and revise the different structures learnt.

Notes:

i. It is important to vary the way of using the substitution tables in class. e.g.
   - Certain words can be missed out.
   - Picture prompts can replace some of the words.
   - Writing from substitution tables can be turned into a game by giving students a certain time limit and seeing who can make the most sentences.

ii. Useful words In the classroom: ascoltare, ripetere, leggere, scrivere, copiare, cambiare, osservare, sostituire, aprire il libro, chiudere il libro, disegnare.

KEYS

Page 15 (Animali da fattoria) : 1e, 2h, 3c, 4i, 5a, 6g, 7d, 8f, 9b.

Page 22 (Leaving messages):

1. I can't come. We'll see each other tomorrow.
   I will explain everything. Bye, Marco.
2. Luca called. He didn't leave any message.
3. Maybe I'll be back late. Remember to feed the dog!

Page 25 (Furniture and fittings):

1. La libreria, la specchiera, la sedia a dondolo; i quadri, le piante, le mensole.
2. Il lavandino, lo scolapiatti, la credenza, l'apriscatole, la cucina a gas; i cucchiai, le forchette, le pentole.
3. Il guardaroba, il cuscino, il materasso; le coperte, le lenzuola.

Page 56 (Ufficio Informazioni): 1f, 2m, 3q, 5o, 6c, 7f, 8e, 9y, 10k, 11v, 12x, 13a, 14w, 15r, 16b, 17n, 18s, 19j, 20u, 21p, 22g, 23d, 24l, 25h.

Page 69 (How to describe a previous holiday):

1. I went to Italy.
2. By car.
3. With my parents.
4. We stayed a week in Rome.
5. We stayed in a hotel.
6. The weather was fine and it was hot.
7. We went to a lot of museums.
8. I often went to the discotheque.
9. I had a really good time.

Page 107 (Signs and notices): 1c, 2k, 3m, 4q, 5a, 6g, 7p, 8i, 9l, 10b, 11n, 12d, 13o, 14s, 15j, 16e, 17r, 18f, 19h.

Page 143 (Medicinali): 1c, 2h, 3e, 4i, 5n, 6a, 7o, 8g, 9m, 10k, 11j, 12b, 13p, 14r, 15d, 16l, 17q, 18f.

Game page 9

```
       D O TTORE
    AVVO C ATO
      ME C CANICO
    PARR U CCHIERE
         P OLIZIOTTO
  INSEGN A NTE
     DEN T ISTA
   CAMER I ERE
IDRAULIC O
   STUDE N TE
    AUTI S TA
```

2. FAMILY

```
O S O R E L L A E
L P T F U N I I G
L A I P I L L E I
E D R A G C N L I
T R A I O I L R N
A E M M T E E I N
R A N O M Z I O O
F T R E R D A M N
E I G N I P O T E
```

Key: Lo zio è UN PARENTE

3. HOUSE AND HOME

```
G C U C C H I A I N O L
T A L O T N E P I R N E
O T T E S S A C E T I O
V A A F L F E F P E L I
A N V T O O I T O I O A
G I O R O R A D S E C I
L C L O O N C M A R A H
I U O G I O E H T A Z C
A C I Z I A I D E S Z C
S R Z O T T A I P T A U
F A O L L E T L O C T C
T O V A G L I O L O T A
O N I T T A I P B I C I
```

Key: GLI ELETTROTOMESTICI

4. CROSSWORDS

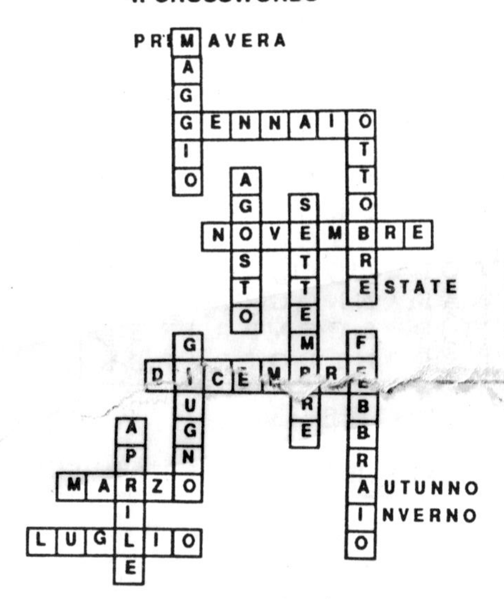

5. TRAVEL AND TRANSPORT

```
A U T O B U S B O E B
U N S O N O R D V B E
T N O T U R I S T A N
O O S T M P M A R T Z
M F T E A N A V E A I
O F A R C U R V A N N
B I C I C L E T T A A
I C M D H O N E R T D
L I O V I T S E L I U
E N N I N U T U I L S
O A E A A I M N I O A
I R T E T N E T A P N
R P A R T I R E G O A
A A E R E O T A R R G
N U F F I C I O A T O
I T S E V O L I T E D
B O F A C S O T O M A
```

Key: BENVENUTI IN ITALIA

6. HOLIDAY

```
O T A Z N O R B B A F
L E E R A T T I F F A
O M B R E L L O N E M
C A M P E G G I O O T
S O L E E R A M N S U
U E S T A T E T I C R
P F O T O R A R N I I
O A D I U G A G G A S
O E V E N M S T A R T
V A C A N Z E O B E A
```

Key: FERRAGOSTO

7. ACCOMMODATION

```
C R A B D I R E Z I O N E A E
A E M N E P A R T I R E O R R
R R C O L A Z I O N E A T E O
E A A T C O G R E D L A N N S
B T R T O S V E G L I A O T N
  O O E N O N E V A I I I C R E
L N E V G S P I C C O L A A C
B E T O A I U S C I T A G T S
A R N I B N I O S E T A A A A
G P A A A G D S U N L R B I A
A M R P C O M O D O A R I G I
G C O M P L E T O I R I N   P
L E T T O A A L A S E V E L P
I A S E R V I Z I N M A T A O
O D I R E T T O R E A R T V D
O T R O P A S S A P C E I R E
```

Key: UNA CAMERA CON VISTA SUL MARE

8. FOOD AND DRINKS

```
F I C H I U A T N E M N M O R E
A M E N G U R P E E T O R A C E
L I A L B I C O C C H E A V C N
S R P O M P E L M I C N A E A G
E O I O T E A A L L I A T R R A
D I S S M H D V G I P Z A D C T
A F E I A O C O U E O N L U I S
N L L M O N D S N G L A A R O A
O O L E F R A O E E L L S A F C
C V I L P R N N R P E E N E I P
I A O E C N A R A I L M I L N E
L C R A I R U C N A E V O O O P
I E A N O C C I O L E I L T P E
S I N I H C C U Z L G C I E M R
A F R U T T A I L A E O V   A O
B M A G L I O E F D I N E B L N
C S A L V I A I L O C C O R B I
M A N D A R I N I O E N A N A B
D P A T A T E I T C A V O L I O
R S P I N A C I N I N O M I L O
```

Key: UNA MELA AL GIORNO LEVA IL MEDICO DI TORNO

9. SHOPPING

```
O T I T S E V V E L L U T O
A S E T A N E G O Z I O L A
N A L I M E N T A R I O C T
A C F H E I A N I R T E V T
L C U A T C S C S T O F F A
C H I A R O A E A S S A C V
A E O E O M P R O F U M O A
R T M P I R A T U V E C I R
U T E C A B C C E N O T O C
T O I C R F C E I S A L D I
N A S A N N O G R A S E F S
I I D I S C O M P R A R E E
C S C O N T O O T R A P E R
```

Key: CHIUSO PER FERIE

10. CROSSWORDS

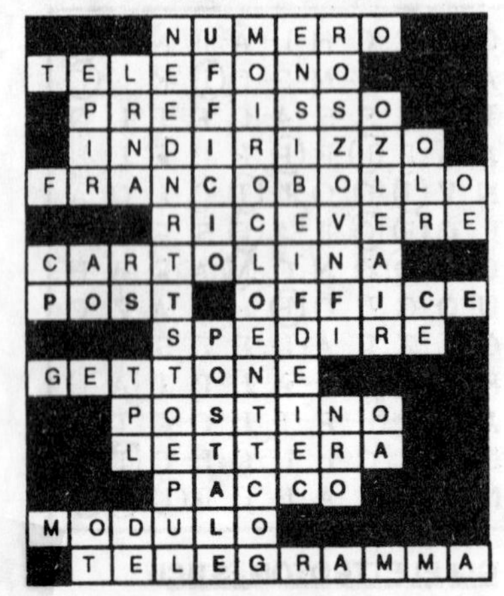

12. FREE TIME AND ENTERTAINMENT

```
A T T E L C I C I B E C I
N P A R C O C L L M N I P
G A C A I O A I T T O C A
A T P I A S L B R E I L L
P T S C R A C R O N S I L
M I T S E C I I P N I S A
A N G A T N O M S I V M C
C A I A M P O M U S E O A
I R H M A T S I P O L V N
S E C E S C I P R C E I E
U E C N G A R A F O T D S
M A A I L A N R O I G E T
E M C C A M P E G G I O R
P A S S A T E M P O R I O
T D O E A C E T O C S I D
```

Key: IL MIO PASSATEMPO PREFERITO È .....

14. EDUCATION

```
P R O M O S S O P O V A R B
I B A N C O C C A C I S I F
N I R S M E U S E N E B N R
S T A T A S O E O R I B G A
E A U O T S L D T I A I L N
G L G R E A A E O P V O E C
N I N I R L E T V A A L S E
A A I A I C E C I S G O E S
N N L P A C I T E S N G E E
T O I E A C O V O A A I N M
E L B S I O D N S R C A O A
G A R A S M I I D E A A I T
I S O M A P S M I O T T Z E
N L C E N I E P P L F I U M
N A I I N T G A L O E T D A
A U L A E O N R O N D A A T
S R M E P N O A M G R M R I
T E E L A M Z R A A A O T C
I A C O R S O E V P O I L A
C O R A L E M A E S T R O M
A T I G P R E S I D E A A E
C E R T I F I C A T O I G N
L A B O R A T O R I O D I T
E A S S E R O S S E F O R P
```

Key: PRECIPITEVOLISSIMEVOLMENTE